无目的美好生活

我倒是

挺想号召大家没有目的地深深地投入一回 要知道 生活的乐趣都在过程里面，而目的只是在长长的过程之后一秒钟的高潮。

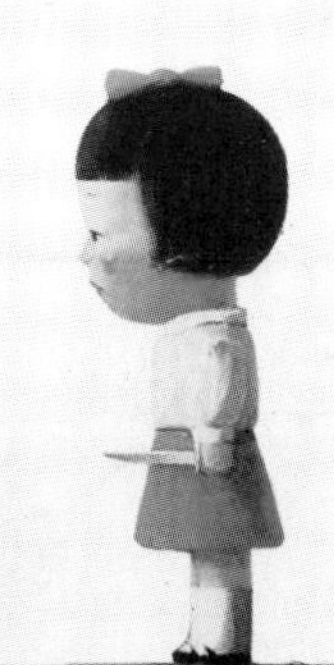

中国友谊出版公司

洪晃这哥们儿（代序／佟晓滨）

“这洪晃，真是个坏蛋！”我一边在电脑前码字，一边愤愤不平。这序是她主动说要写的，可全部书稿都齐活儿了一个多月，她的序却愣是等不来。更要命的是，这家伙来了回人间蒸发，死活找不着了。待我狂打N个电话终于揪住了在香港的她，正准备义正辞严地开火讨伐时，“呵呵，我是个大坏蛋！我知道。”电话那头已经自我批判上了，且语调高亢、情绪激愤。“你是不是特想这样臭骂我啊？”她嘿嘿地乐，“这篇序你就帮我搞定呗——咱俩谁跟谁啊？”我这一通火气倒发不出了。

没必要再罗嗦一把洪晃是谁了吧？谷歌、百度上关于这姐们儿的搜索结果至少也有几十万条，但洪晃是做什么的却得多说两句，一般人肯定搞不清她究竟在忙活些啥，只见她时而在电视上和人神侃，时而又在电影里露一小脸，还很没有个性地出了书，据说还搞了签售，网络上的热门话题她也没忘了掺和一把……（啧啧，我心说，这么成天价上窜下跳地折腾，累不累啊？真怕她以身殉职！）但较起真来，洪晃的正业算是做出版人，她在出版界里已经“晃”了不少年头，由她整出来的大大小小的杂志也有好些了，现在还顶着某媒体集团的CEO的头衔（多没品味没个性呀，洪晃居然也CEO了！），所以洪晃才趾高气扬地在我面前显摆过：“和我比起来，你还嫩！”这点我完全没有异议，因为我被摁在中国友谊出版公司出版人这把座椅上也就一年多时间。

洪晃的家庭背景和人生经历我多少也听说过一些，但要想从她身上发掘点什么“名门”的痕迹却不容易。外祖父章士钊的名士风流，好像与她不沾边；母亲章含之的端庄优雅，她也基本不靠谱；罗斯福夫人和肯尼迪夫人的风采，你能想象出来吧，但洪晃还是她俩的正经师妹你想得到吗？不信你去翻这姐仨的毕业证，都盖着那所著名的Varsser女子学院的大章呐。一句话，想要从洪晃身上看出些她的长辈、师姐们影子，那你就趁早死了心吧。至于扭扭捏捏、哼哼唧唧、磨磨蹭蹭、羞羞答答那些小女人样，她更是压根儿没有；而离经叛道、绝对自我、大大咧咧、松松垮垮、风风火火，尖锐刻薄、痞……这些词捧出来，洪晃会眉花眼笑地照单全收。

"名门痞女"，洪晃这么总结过自己，我相信她也不一定是自我解嘲，也就是她才担得起这个称谓。但是她大气，有着男人般的豪爽、果断，这事儿挺让人费解，搁其他人身上，你一定会觉得这女人在装像吧，四十好几了还玩什么特立独行啊？偏偏洪晃就不会给你那种感觉，即便她在张牙舞爪、大呼小叫的时候，举手投足中依然流露着那份大气，这份大气可是装不出来的，那是她显赫的家世和她多年的国外生活经历所赋予她的独特的礼物，所以她无法复制，独一无二。

洪晃以前"攒过"一本叫《我的非正常生活》的书，说"攒"是因为里面的文章一多半是别人写的她，这次她向我保证，《无目的美好生活》百分之百是她原创。这我信，随便翻到哪一篇，你都能看到一个活脱脱的洪晃在和你神侃，肯定也不是什么正经事，但鸡毛蒜皮经洪晃一扯，仿佛是豆腐熬进了高汤，立马就有了别样味道，吃完了你都还有吧唧吧唧嘴的欲望！洪晃说了，别指望看她的书就有了什么启发，得到了什么人生领悟，那多没劲啊，洪晃会扔你两白眼的！正如洪晃自己在书里交待的那样，她有时做事只是享受一把过程，也不求什么回报，所以，看她的《无目的美好生活》，也就是逗乐解闷，如果非得说我们出这本书有什么目的，那我必须很惭愧地向大家坦白，除了让看书的人开心外，我们真的很想赚点银子。

说起来我和洪晃的交情并不深，但却称得上一见如故，现在我们已经到了见面就搂脖子的程度了，但我不敢和她太亲热，这家伙一旦搂着我脖子甜蜜蜜地开口时，准保有什么麻烦事想赖给我，而且事后也不一定给你好脸，比如说这次我帮她顶了这篇本该是她写的序，半是邀功半是埋怨地对她说："怎么样？我可是够姐们儿吧？"洪晃一如既往地不领情，还连带教育我一把："又是姐们儿姐们儿，怎么还这么没新意呀？我是你哥们儿！"我一听，乐了，可不吗，洪晃这哥们儿！

一、生活态度

目录 MULU

二、家长里短

三、你问我答

四、“博”里“博”外

五、他们我们

生活的乐趣

都在过程里面，

而目的只是

在长长的过程之后一秒钟的

高潮。

——《无目的美好生活》

一、生活态度

SHENGHUOTAIDU

简约主义的罪恶有三条：

一、主人是多余的；

二、态度是冷酷的；

三、这是有钱的坏人玩的东西。

——《万恶的简约主义》

苗条身段
减肥门诊
怎样在海滩上占据良好地点培训班
掌握优雅行走姿态速成班
肥
捕食技巧
减
牙齿保护课程
胡须修剪
搏击技巧班
性别识别周末班
怎样躲避爱斯基摩人讲座
速成班
王原
200507

无目的美好生活

咱国家，每年GDP都能增长七八九个点。要不是有好多好多人“深深地投入”了好几回，怎么会有这种盛世景象。只不过我们的投入都是非常有目的的，是追求回报的。在咱这儿，投入的人不少，哪怕是投入爱情、艺术和友谊，都能算出个内部、外部和中部的回报率，算不出来就坚决不投。

我曾经有一个朋友，其老公是加州一汉学家，这两口子深深地在中国文人身上投入了好几回，把他们一个个弄去加州，好吃好喝，认真投入友情，有时候还搭上点爱情和色情，但是回报都不太好。就比如吧，他们把一个无名演员推荐给一个大导演，演员最后睡了导演，和他们吵翻了。还比如，他们也把我介绍给导演干个小活，结果他们跟睡导演的演员吵翻了时候，我采取中立的立场，没站在他们一边谴责这个该死的小婊子，从此以后，他们再也不在我身上浪费时间了。

总而言之，我们的投入都是有目的的。我们投入友情是为了关系；投入爱情是为了占有；投入艺术是为了成名成家。我们对回报的期望值到了不可控制的地步，而一旦没有得到，我们可以坚定地放弃。在咱这，啥都有个bottom line，如果经商，这词儿应该翻译为“底线”，是个数字概念；但对于那种对友谊、爱情和艺术追求回报的人来讲更确切的翻译可能是“屁股线”。当其期待的回报没有的时候，他的屁股就再也不会坐在你这边了。

我这辈子只上过三堂哲学课，然后就知难而退了。我当时对知识的投入很明确，就是为了文凭和奖学金。哲学这玩意儿太深奥，我搞不明白，可又怕分数太低，丢了奖学金，拿不着文凭。但这三堂课教的东西我至今记得非常清楚。第一堂课说的是“目的”；第二堂课说的是“过程”；第三堂课老师让每个人给自己定位是追求目的，还是追求过程。我向来力争做一个追求目的的人，但骨子里却是个追求过程的人，因为我致命的缺点就是贪玩。只要好玩我就想做，管你什么内部回报和屁股线，不想那么多。所以我在一个GDP增长七八九个点的经济奇迹中造就了个人财富增长率进入负数的奇迹。

我这种傻瓜不多，但还是有的，现在和我一起在大山子798工厂瞎折腾的人就是这类人。明明知道还有不到12个月，地主就要把所有人都碾出去，现在的装修在短期内就会被推土机全部压平，还是有人在往这里搬，还有人在装修，还有人在创作。这种投入除了享受一下过程大概没有什么别的回报了。

我倒是挺想号召大家没有目的地深深地投入一回。要知道，生活的乐趣都在过程里面，而目的只是在长长的过程之后一秒钟的高潮。

万恶的简约主义

从原则上讲，我是个赶时髦的人，所以当简约主义风行一时的时候，我当然也紧跟了一阵子。在那几年，我的生活有了非常大的改变，我变成了一只小狗，天天追着自己的尾巴转：哦，这个杯子不洗影响厨房整体美观；啊，那个花瓶里面的花太有颜色不协调；哎呀，谁把一张纸放在书桌上显得乱；总而言之，生怕任何一丝生活迹象污染了我的高级简约环境。前几天，我认真翻了一下外国的家居杂志，发现简约主义终于过时了。谢天谢地，设计统治生活的时髦告一段落。

这简约主义是设计师当道的设计霸权主义，是美学里面的法西斯主义。从前，设计师做的所有东西都是为了生活，简约主义把这个概念翻了个跟头，生活跟着设计走，弄得我这个贪图舒适的人被折磨得每隔三分钟收拾一趟屋子。我总结了一下，简约主义的罪恶有三条：

第一、主人是多余的。

所有简约主义的房子里最好别住人，一住人就影响了这里非常干净的线条；卧室里不能留下睡觉的痕迹，被子要铺得比当兵的还有棱角；客厅里不能扔很多花枕头、毛毯之类的东西，不然和搁屁股的沙发不匹配；厨房更不能有任何做饭的迹象，特别是中餐，这么繁琐，要切这么多东西，把吃的东西弄得到处都是，这怎么可以呐。除了那盘颜色搭配的水果，厨房里难道要有吃的东西吗？你的房子如果简约了，那你就是第一个被简约出去的东西。你做的所有事情都是在破坏风格，污染环境，所以最好你不要在你的简约房子里随便乱动。

第二、态度是冷酷的。

有一本书，简约盛行的时候在美国也流行过，叫《美国神经病》(American Psycho)，故事里的主人公就是一个简约主义疯子，他连所有遥控器都安排了摆放的位置，错位了一公分也能觉察出来。他的房子都是黑、灰、白的颜色，不能有任何暖色，不然他会喘不过气来。他的西装按照颜色从深到浅在衣柜里排列，他的所有女朋友不许过夜，做爱完毕马上换床单。只有这种酷哥才是简约的楷模。

第三、这是有钱的坏人玩的东西。

仔细分析一下好莱坞电影，比如《与敌同床》、《够了》，这里面的坏人都是简约主义的忠实追随者。特别是《与敌同床》里面的那个丈夫，连厨房柜子里的罐头都得稍习立正，有一个歪了就抽老婆两大嘴巴子，非常过分。但是玩得起简约的都是有钱人，房子要大，东西要贵，五六十平米里面是玩不起来的，除非干脆睡地板。

简约主义走了，我终于可以回家了。衣服可以乱扔，碟碗可以不洗，天天炒菜，夜夜娶亲。这才叫舒服日子。

情人不过节

几年前，卡地亚公司委托我们做一组有关“情人节”的采访，我们的策划是采访十多对名人夫妻或情侣，让他们挑一件卡地亚的珠宝或手表作为“情人节”的礼物给对方。大部分人都很配合，只有一对非常前卫、非常受尊重的艺术家夫妇虽然接受了采访，但就是不配合。

“只有没有想象力的人才需要用珠宝表达爱情。”这是艺术家的回答。

我们的编辑非常为难，来回劝说，哄他们说点关于“情人节”的事情，让他们随便点个简单的礼品，但是这对夫妇——特别是男的——坚决拒绝合作。而他夫人是那种夫唱妇随的，只要丈夫不松口，她也不愿意帮我们的忙。编辑实在没办法，想起来我似乎是这对夫妇的朋友，只好恳求道：“晃不是你们的朋友吗？你们这么说，她怎么跟客户交差啊？”

“你别把晃想得那么俗，”我的这位不合作的朋友说，“她会理解的。”

最后，编辑只好非常沮丧地回来报告，说任务没有完成，要再找一对夫妇才行，还把这位艺术家说我“没那么俗”的话都转告给我了。

我听了以后有点哭笑不得，一方面这朋友还是非常了解我对这种节日的态度，另一方面也够能刁难人的。我最后决定实话实说，给客户打了个电话。

“他说只有没有想象力的人才需要珠宝表达感情，”我一五一十地交代道，“我不能改他的话，他也不让删，要不就换个人。”

“不用了”客户的公关经理想了想说，“就这么登好了，这也是一种观点。”

我很高兴，看来客户也没那么俗，没那么商业。

我这辈子谈过不止一次恋爱，但是没有过一次“情人节”。在我的记忆中，年轻的时候，如果恋爱了，天天都在过“情人节”。周围的世界都消失了，眼前的恋人就是所有，其他都不重要。我还记得谈恋爱的时候不希望有任何干扰，不接手机，不上班，不见朋友。在这种情况下跑出门去买点花、巧克力或者一大钻石戒指似乎真是有点多余。我的任何一个男朋友真的这么做了，我会觉得这个人很假，而因此干脆吹了。当然，这只是我。

年纪大了以后有了个很稳定的关系，也觉得没必要一到二月十四号就非得买点东西，出去吃顿饭，抱一堆花回家。这时候如果两人能在厨房里一起做顿饭，聊会儿天，没大没小地闹会儿就挺好的，忙里偷闲也算生活了一下。当然，这也只是我。

我成长在一个简单的年代，有比较简单的表达方式，爱情似乎不需要节日，只需要一个假期。对我来讲，“情人节”真是多余的。

但反过来想，百忙之中，有个节日提醒大家去恋爱一下也没有什么不好的。我们生活在卡通时代，一切需要形式、夸张，有点节日把大家的生活规划一下。今天是开PARTY的日子，明天是回家的日子，后天是谈恋爱的日子。周一回家做饭，周二上床做爱，还找个PALM都记下来，免得忘了，也好，也好。在我眼里“情人节”是个卡通节日，每个动作都是被策划出来的。但是这总比忙得忘了谈恋爱强。

三星洞毕业考试
姓名:孙悟空
一、默写全部七十二变:
(一)假孙悟空
(二)小飞虫
(三)鸟
(四)
(五)
王原
2001.8.2

三星洞
补充材料：
万能
摘头箍法术
笔记本
孙悟空
王原
2001.8.30

老不死的爱

就不说是谁了，反正有这么一对情人，分别二十五年后又一起吃了顿饭。两个人相好的时候是想入非非的学生，二十五年后是开始考虑退休计划的中年人。二十五年期间，两个人没有任何的来往，什么见面、电话、书信、E-Mail一概没有，就跟对方死了一样，居然，饭吃完之后俩人又找着感觉了，老不死的爱又回来了。

我喜欢这种纠缠不清的情感。这种说不清楚的故事是我们黑白生活中的色彩。在活得非常现实的岁月里有这么不实在的感情是件非常珍贵的事情，找点感觉太不容易了。这种莫名其妙的东西会给我们带来好看的电影、好读的书、好听的歌。我最喜欢的一首Joan Baez的歌就是纪念她和Bob Dylan一段藕断丝连的感情。六七十年代，这两个人是美国音乐界最有影响的歌手，我是唱着他们的反战歌曲和民谣长大的，至今，我都认为我根本上其实就是个嬉皮。许多年以后，我和几个中学同学去听Joan Baez的音乐会，我们就是想怀旧。记得那天去的时候就听说可能Dylan会来，大家都为这个悬念兴奋。Baez唱完第三首歌，声音有些颤抖地说：

“I'll be damned,look what the wind brought in.”(“真见鬼，什么风把你吹来了。”)

突然，Bob Dylan的一头乱头发在台上出现，抱着个吉他，坐在Baez身边，观众疯了，高声欢呼，两个人又在一起唱了首Blowing in the Wind，所有人都被记忆泡酥了。这首歌唱完，Bob Dylan就走了，Baez眼泪汪汪地接着唱她自己写的歌。这是我听到把藕断丝连表达得最直白的歌词，我相信唱出来是需要勇气的。我的翻译不是最好：

真见鬼／你的幽灵又现／也不奇怪／正好今天月圆／你打来电话／我坐着一动不动／两手抱着话筒／听到几个光年前熟悉的声音／又要彻底栽进深渊。

我记得／你的眼睛比湖水更蓝／你的诗歌更糟糕／你说／你从哪儿打来／西部的一个公用电话／十年前我送你一对袖扣／你也送了我点什么／你我知道记忆带来什么。

生锈的钻石／你到来的时候已经是一个传奇／一个没有被腐化的奇迹／一个原创的流浪汉／你漫步到我的怀里／一时似乎漂失在海上／女神把一切奉献给你／就是站在半个贝壳上的那个姑娘／她能保护你，不让你受伤的／我又看到你站在落叶中，雪花在你的头发上／我又想起你在华盛顿广场那个破旅馆窗边的微笑／我们的呼吸像一片白云，缠在一起，舍不得消去／对我来说，我们当时可以完美地死掉／现在你说这不是怀旧，那就再帮我找一个词／你这么会弄词的人，还这么善于把一切变得模糊／我急需一点模糊，因为过去突然太清楚／是的，我还是放不下／如果你又带来生锈的钻石／我所欠的已经付清。

我们故事里的两个情人也想洗掉钻石上面的锈，跑到一个很冷很冷的地方，在星星下面再看一遍他们的钻石有多亮。但是毕竟二十五年过去了，两个人都有了牵挂，虽然来回组织、计划了无数回，机票订了又退，退了又订，最终还是没有启程，只是一个月的E-Mail快够一本小说了。据说其中一个人把这首《生锈的钻石》听了整整136回，然后决定钻石的锈还是留着，老不死的爱不用太近的距离也会发光的。

睡多少男人算“值”？

一个多月以来，我和张小姐一直在争论一个问题：就是一个正常女人这辈子到底能和多少个男人发生关系。事情是由于有人自告奋勇地坦白曾经有过上百个情人，让我们都大吃一惊。张小姐首先认为这完全是不可能的，除非这个人是专业人员。我半信半疑，总觉得有时候人不可貌相，海不可斗量。

张小姐对我这种态度有两个字的评语：傻帽。她对这种事情的可能性有让我非常佩服的、理性的、数学的、逻辑的判断。

“咱们这么算吧，”她说，“你认为一个女的多大开始交男朋友？”

“十六七岁吧。”我说。

“那她性生活最活跃的是什么时候？”她接着问。

“大概应该是大学时期。”

“那好，大学有几年？”

“四年。”

“四年，一共四十八个月。如果你要是有上百个男朋友，就说明在这个阶段你至少要完成……咱就说百分之八十吧，就是八十个，平均每一个月零三天你就要交一个男朋友，这可能吗？”

我的数学很差，还在准备脱了鞋，掰掰脚指头数一下，张小姐已经下了结论：“这纯属于瞎掰。”

“你真不能把女人的约会高峰都放在大学时期，”我说，“现在有很多单身女人，就像《欲望与城市》里面那样。”

“那不是编的吗？”

过了不久，我看了一本书，书名为“The Sex Life of Catherine M”，书的作者是巴黎的一个艺术评论家，女的，六十年代性解放闹得欢的时候她非常大胆地去体验了各种方式的性生活，书的头一章为“Numbers”，就是数量的问题。该女人实际上已经记不清楚她和多少人有过性关系了。她自己说有很多人她根本不知道姓名，甚至连一句话都没有互相交流过，所以对她来讲，“无数”这两个字是很对的。

说老实话，书写得有点枯燥，几乎毫无半点情趣和感情地叙述了她的性历史，有点像医学著作。看完第一章我就看不下去了。我发现虽然我们永远对这种数字好奇，但是好像这几乎没有任何意义。当我们把这些数字倒出来的时候无非是想给人们留下一个印象，说上百的那个想让我们知道她是有经验的、成熟的、老练的；说零的那个是要告诉我们她是单纯的、清洁的、有贞操的。这是一个数字游戏，其目的是告诉我们她们是什么样的人。

我觉得有必要给女人们写出一个数字解说图，如果再要用数字表达她们的性观念可以参考使用：

0 = 白活了

1 = 亏

2—3 = 传统

3—5 = 正常

5—10 = 够本

10—15 = 有点忙

15—20 = 有点乱

20—30 = 有点累

30—50 = 过于开放

50 以上 = 完全瞎掰

所以数字是应该根据你所需要的东西营造出来的，只不过是一个似乎科学，而实际上极其没有用处的东西。

数字不仅在性方面不能说明问题，在出版方面也不能说明问题。所有刊物的出版人都会非常富有想象力地把发行量理想化地夸大；所有书商都会在作者面前富有现实主义精神地将发行量缩小，实际上都是为了利益，为了得到什么。如果这种东西可以撒谎，那如果有人问你跟过几个男人，还不是张嘴就来的事。我想单纯一些，三个；想复杂一些，十三个。这些数字成了一种标志。

美国人有很多的“Dime Store Phylosophy”，直着翻就是“便宜店哲学”，实际上就是指那些说烂了的人文精神。比如：“百忙之中，别忘了闻花香”、“每一天都是一个新的开始”之类的鬼话。居然还有人愿意从杂货铺买这种字句，贴在冰箱上，挂在炉灶上面等等。这种非常小资的东西似乎现在也已经开始在中国泛滥，所有时尚类刊物的情感小说里都多少透露着一点这种发霉的人生感悟。我倒是觉得还不如把我们的数字刻在木板上，钉在卧室墙上。这几乎可以是一个像道琼斯指数那样的东西。每年根据一个什么市场调查，把睡多少男人意味着什么都公布出来，省得有些姐妹一时没想好，说多了说少了都不是。

我和张小姐的辩论没有任何结果。我们后来都觉得这个话题很无聊，但是想想还是挺可笑的，以后再议论人都可以说：“她是二十个左右的那种女人。

坏人娶亲

全世界的坏男人在找老婆的时候基本上分成两类：一类是找妈，一类是找抽。找妈的需要一个女人无条件地奉献给他，不仅要给他的孩子当妈，还得给他当妈。这种男人小时候多少是被自己的母亲惯坏了，为所欲为，所以需要一个女人为了他赴汤蹈火，像自己的母亲一样呵护他。有一个作家的家庭就是这样的组合。这位男作家经常在外面有不轨行为，甚至这些事情都是在自己老婆眼皮底下发生的。比如有一次，他的情人公开和他的夫人对峙，说："我已经在你家大摇大摆出出入入，你就把他让给我吧。"他夫人非常镇静地对这个比她小二十岁的姑娘说：

"你不懂，我是他妈，你代替不了我。"

在公众场合，这位奉献性的夫人也能够大包大揽，把丈夫的错误全部揽到自己身上，"是我不好，"她说，"管他太严，难怪他经常出去耍闹。"

从某种意义上来讲，这种找妈的坏男人是最不可救药的。他们知道艳遇的第一个定义：当感情超越了社会阶层和社会圈子；
艳遇的第二个定义：必须没有结果。

——《艳遇》

王原
200507
你好，能交个朋友吗？

自己所有的毛病，但是坚决不改，还把一个能够怂恿自己的女人娶回家。

找抽型的坏男人比找妈的有良心，所以需要家里有个灵魂似的老婆时常敲打他一下。这个老婆必须是个有主见，有思想的女人，但绝对不会是个泼妇。只有好男人才会把个泼妇娶回家。用英文说，这个女人是男人的Soulmate，男人对她可以倾诉很多工作、生活上的感受，两个人之间还得有很好的交流。这个女人经常是男人最好的伙伴和朋友，两个人对外界事物和人的观点都是互补的。我刚刚看了一部美国电影，叫“Something Gotta Give”，中文翻译成《爱是妥协》，就是讲的这么一个故事。Jack Nicolson扮演一个老花花公子，一辈子没结婚，专门找和他女儿一样大的人作情人。后来他终于碰到了一个能够天天敲打他，但是同时能和他一起说笑的女人，两个人经过一番周折，终于好了。整个故事是非常典型的一个坏男人找抽，挺动人的。只有一个环节和实际生活中不太靠谱：这个老花花公子为了和年轻情人做爱经常大把大把地吃伟哥，结果弄出心脏病来了。但是和这个Soulmate做爱的时候不仅不用伟哥，而且做爱的数量和质量都有所突破，两个人的性生活无比美好。这种事情不太可能。一般这种热情和激情是短时间的，特别是和一个要敲打你的人在一起，这种事情不太容易维持。明白这些事情的找抽型男人会非常小心翼翼地回避自己一些开小差的错误，不然的话，何止敲打，一顿毒打也是可能的。

全世界的坏女人找男人嫁的时候也分两个类型：一个是找钱型，还有一个是找爱型。第一个很容易理解，是在一夜间提高自己身价的好办法，很功利，但是我们似乎已经司空见惯了，好像也没什么可说的了。倒是第二种比较有意思。我认识一些在找爱的女人，她们都有不凡的经历，都不是贤妻良母，可以说有的是名副其实的“Man Eater

和Cock Teaser”，男人看见她们就走不动路了，然后她们会非常细心地将他身上的所有东西都好好利用一番，等到这个男人已经彻底折旧就还给他的老婆。在一定的原始积累以后，这种女人就会开始寻找爱情。她们突然有放下屠刀，立地成佛的愿望。其中最能干和出色的还会找一个宗教，为自己非常实用的一生添加一些精神色彩。找爱的女人和找妈的男人有很多共同之处，他们都想维持自己现在的生活，需要一个无偿贡献的伴侣。

那么你可能要问，好人哪？好人都哪儿去了？好人都找什么样的人？好人也分两类，一类是过日子型，一类是填空型。第一类的好人比较知足，找个好人一起过安稳日子，不求发展，只求安逸。第二类有点没头脑，专门找坏人，为自己的平淡填补色彩。我是觉得，现如今的好人一般都不是特别出色的，因为他们太乖了，而出色的人都好不到哪去，因为他们必须能折腾，折腾得越大发，成绩就越显赫。这个非常不公平的结果是我们文化上的问题，好人从小循规蹈矩，从来不做任何出格的事情，而真正要想做成一番事业的人总需要打破一些规矩，找出一条发展的道路来。连现在什么商务培训课程里面都有一个专门让人解放思想的课程，英文美名为“Think out of the box”，就是说要打破常规，不能太听话了。所以好人一般都比较老实，好男人经常娶个泼妇，好女人经常嫁个无赖。这都怪他们自己太守旧，不能与时共进。

如果好男人娶个好女人，旦愿他们的下一代都是坏人，这样社会就进步了，财富也能平均一下。

所谓女强人

所谓“女强人”是指能干的女人，但是不包括做家务能干的女人。“女强人”只是指在社会上靠自己的本事混得非常不错的女人。

“她是个女强人。”一个人这么跟我介绍她的老板，“那天晚上万人体育馆里都挤满了，就是为了看她一眼。她出场的节目是用八抬大轿抬出来的。”

“她得有五十了吧？”我问。

“那有什么，她可嫩了！那天晚上她可真有毅力，上台之前她哭着跟我说，你知道吗，我七个小时之前接到美国长途，我丈夫在纽约和别人上床了。”

“她老不回家可不是要出这种事？”我没有近距离接触过故事里的“女强人”，所以没有什么同情感。“那后来呢？”——我只有好奇心。

“后来她还是登台表演啊，这么多人都等着她，轿子把她抬出去的时候她换了装，挺高兴的样子，谁也看不出来她丈夫刚把她蹬了。”

“女强人”问卷一：当丈夫在地球的另一端与别的女人睡觉时，女强人的反应是：

A. 追到地球另一端

B. 冻结他的银行账号

C. 打长途骂死他

D. 在这一端的万人体育馆里坐八抬大轿

坐在我对面的女孩子还是来应聘“秘书”职位的。她长的很大方，像50年代电影里的人物，比如李双双什么的。我按照招聘手册一个接一个地问她面试的问题：

“你的理想是什么？”

“当女强人！”她响亮地回答道。

我吓了一跳，马上抬头看看这个姑娘。“‘女强人’是什么样子的？”我问。

“就是你这个样子的呗！”

我一下子没坐稳，差点从椅子上掉下来。“那我是什么样子的？”

“老板！”

“女强人都是老板吗？”

“那倒不一定，反正都挺成功的，像《时尚》杂志里介绍的那些都是吧。我特爱看《时尚》。”

“那这本呢？”我狡猾地将一本《iLOOK》推到她面前。

“没见过。”她不在乎地摇摇头。

我没录取她，我当然不会录取她！！

“女强人”问卷二：如果你的理想是当女强人，你应该：

A. 告诉你的老板

B. 在家悄悄练

C. 看《时尚》杂志

D. 在面试时把对方吓一跟头

“女强人”是中文说法。但是洋人里也有很多“女强人”的楷模。我的第一个老板，自己办了一个咨询公司，与很多大公司签了很赚钱的合同，与最大的投资者睡过觉，还有不少小伙子追着求婚，日子特别红火。只是不幸终于来临，大投资者的老婆对其丈夫和“女强人”的深层接触有所耳闻，所以大投资者访华，她也就跟着来了。

“女强人”先是要我使调虎离山计，把大投资者的老婆带到西安，推到兵马俑的坑里去，我没干。后来她又用了其他招数，都没见效，所以老婆就留在北京了。可是“女强人”和大投资者的感情按捺不住，终于被大投资者老婆抓住。结果在一个有副总理出席的宴会上，老婆狠狠地扇了“女强人”一个嘴巴子。

“女强人”问卷三：女强人应该如何对待大投资者？

A. 睡

B. 不睡

C. 睡

D. 不睡

我不给你答案了，你配不配当“女强人”，自己琢磨吧。

小女人的福气

打小时候起，我们家人就教育我当大女人：要独立，要大气，要自尊，要善良。我尽量按照他们的教导活了半辈子，才发现这只是女人很多种活法之一，不太实惠，在小事上经常吃亏。下辈子我应该试一试小女人的活法，说实话，我很羡慕她们。

大女人最吃亏的地方是男女关系，她们根本不知道男人要什么。大女人不会讨男人的喜欢，她们只注意自己的修养，不重视男人的需求。

我曾经问过好几个男人他们喜欢什么样的女人，几杯扎啤后他们都比较一致地表示男人喜欢那种比较available的女人。我听人家讲了一个故事，有个男人借住在一个女人家里，女人睡觉时没有把自己卧室的门关紧，留了一条小缝，男人认为这是女人给他的暗示，大为欢喜。我想，所谓available的女人就是睡觉时留门缝儿的吧。

小女人非常善于向男人传递各种信息，并且有极妙的手段——有中国文学佐证：眉来眼去，打情骂俏，暗送秋波等等，当然还有留门缝儿等比较现代的方法。在80年代中我曾经有一位特别能干的小女人当助手。她原来是文工团的舞蹈演员，由于生活所迫，下海到外企当秘书。刚到公司的时候，大家都有些看不起她，认为她打扮得太妖艳，英文又不好，不会有什么大出息。后来发现她有一大本事，我们约不出来的处长，只要是男的，她都能约到。该小姐有一头乌黑的头发，有一次和几个潜在客户一起坐火车，她慢慢地梳了两个多钟头的头发，嘴里嚼着口香糖，还哼着小调，足足地向客户发了一回电，果然，客户就到手了。

我做买卖就没学会用女人的优势。首先，我不会在电话上撒娇，语气不仅不柔软，有时候还似乎有点生硬。我总想以自己的聪明和知识让男人服我，让他们把我当一个严肃的对手看，这样他们就会喜欢和我打交道，因为我很职业。约不出来处长时，我总是安慰自己说，这些土包子，哪里能够欣赏像我这样独立自主，又喝过洋墨水的女人。但是我坚信我的事业会蓬勃发展，因为我的老板是一个哈佛商学院毕业的美国人，他一定知道我是多么努力和专业。但不久之后，老板就给文工团小姐加薪晋职了，她不再是我的助手了，是和我平起平坐的业务员了。

我还问过男人他们怕什么样的女人，他们在毫无酒精的影响、十分清醒的状况下确认，最怕能闹的女人。也就是说小女人在搞到男人后，其大闹天宫的本事可以留住男人。

我认识一个知识型的“大女人”，会说七种语言，普林斯顿大学毕业的。她爱上了一个中国男人，并且在事业上帮了这个男人很大的忙。男人虽然对她也不错，但终究受不了“大女人”天天孜孜不倦的教诲，没完没了的高谈阔论，在外面和一个高中都没毕业的小女人开始有关系了。我们都鼓励会七种语言的“大女人”用每一种语言向这个男人表示她的伤心，她的嫉妒，让他回心转意。可是这个“大女人”一口拒绝，她强调她是个独立的人，没男人也可以对着墙说七种语言。就这样，“大女人”的男人就和小女人过甜蜜生活去了。

如果小女人知道自己的男人在外面有外遇，那是绝对不可能放过的。我家原来有个老外邻居，老婆是罗马尼亚人，知道老公有了中国女朋友，千里迢迢从巴黎赶来，先是骂了旅馆的经理，问他如何执行的外事纪律，为什么让中国女人进入外国人居住的场所。然后又去了老公的公司，跟老板要赔偿，还要求把老公马上调回法国。我们左右邻居也被她臭骂一顿——为什么看着她男人犯错误不管？都闹完了，就是不骂老公，反而天天在家给他做好吃的。不到一周，这个男人就被彻底摆平了。

所以，当小女人是女人的福气，赢得自己想要的男人的成功率比大女人高，还能有把握地留住自己的男人。大女人就是吃亏。

有关门缝儿我还要作些最后的解释：并不是只有小女人睡觉才留门缝，有时候大女人为了卧室空气流通也会这么做。我刚才故事里的女人就是大女人，结果那个借住的男人半夜溜进她的卧室时，就被她骂出来了。可男人却理直气壮地质问她：“那你干吗不把门关好？”

至于文工团小姐，她在被提升三个月后，和“哈佛商学院”私奔了。

我已经受够了为了所谓的什么"看淡名利"就这么在湖底寂寞空虚一辈子！我要出去享受被众人瞩目的风光感觉！
王原
200508

你就不能乐观点吗？跟多数动物比起来你还是算高的……
王原.
200509

艳遇

我刚从律师那儿学了一个新词——解释权，这词我得在这儿用一下，因为我要重新解释“艳遇”二字。

首先，艳遇的定义被一群小年轻弄坏了，搞得我一听“艳遇”二字就灰溜溜的。根据这些年轻时尚新新人类的定义，艳遇就是青春偶像剧第880集里男主角在最离谱的情况下终于碰见女主角，并且当场发电；要不然就是坐在飞机头等舱的一对金男玉女对上眼了。其定义基本上把艳遇弄成了时尚年轻漂亮群体的权利，它们撞上了，互相发电，这就叫艳遇。

我是坚决反对这个定义的。

首先，时尚人群里混得每个人都是一个小发电站，他们不发电就长痘，这是他们的本性，没什么奇怪的。两周前一个朋友说他的一个朋友的女朋友被我的一个女朋友的男朋友抢走了，说是艳遇，非让我打电话去确认，结果被人家损了一顿。“老大，你现在是不是特闲啊？还管这事。”根据我的朋友说，这就是一次艳遇的结果，男的是摄影师，女的是模特，男的原来的女朋友是编辑，女的原来的男朋友是主持，这种典型时尚人群调包的事情，怎么能成为“艳遇”！天天都在发生，早就疲了。

艳遇要有神奇感，要有点不顾一切，有点天旋地转，有点世界颠倒的感觉。比如电影《泰坦尼克》里面，一个头等舱的千金一瞬间爱上了一个末等舱的民工，这才叫艳遇。而头等舱碰到头等舱，这只能叫“机会”.

因此，艳遇的第一个定义为：当感情超越了社会阶层和社会圈子。

第二，我年纪大了(其实我今年才45)，以前碰见帅哥还眼前一亮，现在帅哥碰见我，张嘴就叫“阿姨”。我知道一个大学女教授和自己的学生好了，两人相差二十来岁，校方和学生家长都不干，但是两人还是好，过了一阵子又悄悄分手了。我问她为什么不和这个男孩一起过，她笑着说：“怎么可能，我们只是一次艳遇罢了。”我想这才叫真正的艳遇。必须是跟你不该发生感情的人发生感情；不该一起干的人一起干；要不然，就没什么刺激了。干完了就结束了，没有什么结果可言，因为干成了唯一目的。

也就是说，艳遇的第二个定义为：“艳遇”必须是没有结果的，只是为了一瞬间干的混蛋事情。如果艳遇还能导致婚礼这么正经的事，就不叫艳遇了。

总结一下：就是说门当户对、同一个社会阶层的人偶尔碰到发生一次性关系，不足以构成艳遇，一定得是八竿子打不着的人。同一个年龄层的人在一起发情，也不足以构成艳遇。最后，既不是一个阶层也不是一个年龄的人发生性关系后结婚了，还是不能叫艳遇。

只有45岁的女人，有家有业，跟一个特别帅的小伙子在一起，然后各奔东西，再也不见面，这就是艳遇。

也就是说，只有我会有艳遇。别人都没有。

解剖男人

英文里面有一句话说：“The way to a man’s heart is through his stomach.”就是说女人如果想讨好男人，必须给他做好吃的。事实的确是这样。我所知道的，相对美满的婚姻都是夫妻双双，津津有味地到处找好吃的东西。吃不到一起就肯定住不到一起。

男人的胃对女人很重要，而女人有时候不得不改变自己的口味来迎合男人。我认识很多嫁给老外的中国女人，原来肯定是根本不沾奶酪之类的洋食品，而现在却非常重视发掘有好的奶酪的商店，朋友一起吃饭，她们也能夫唱妇随地跟着啃奶酪，而且有时候还赞不绝口，对自己丈夫的“洋胃口”有钻研精神的女人还学会了给奶酪配酒，让所有人都认为她的“胃”已经真的“嫁鸡随鸡，嫁狗随狗”了。

相反来讲，有不少女人没有搞明白男人的“胃”对她们夫妻关系的重要性。我认识一对志同道合的阿姨和叔叔，两个人都是老革命，南征北战都过来了，就是没办法在一起过日子。原因是叔叔是山东人，阿姨是江苏人，在延安的时候没什么好吃的，填饱肚子就不错。可是一解放就完了，物质生活丰富了，什么吃的都有，两个人反而合不来了。叔叔要吃面，还要吃生葱、生蒜，阿姨跟他这么多年都没发现她根本受不了葱、蒜的味道。阿姨爱吃米，做菜还撒把糖。和所有江南女人一样，她还爱吃零嘴，叔叔认为这些都太“小资”。由于他们是同时参加革命，所以级别是一样的，阿姨根本没有让自己的“胃”服从叔叔的“胃”的概念——两个都是“局长胃”，凭什么我的吃法要服从于你？阿姨认为世俗的生活习惯是大男子主义，总是要把自己喜欢的食品强加于别人，如果不服从，还给人戴政治高帽。久而久之，阿姨和叔叔就不在一起吃饭了。叔叔和自己的山东战友在外面的面馆里吃一晚上大葱蘸酱，阿姨在家里给自己做点甜兮兮的小灶。后来因为每天晚上我叔叔都是一嘴大葱味道，阿姨也不跟他睡一个床了。好在两个人都是干部，家里有四居室，就干脆一人一间了。

由此看来，轰轰烈烈的革命事业不如吃能够把夫妻捆绑在一起。

对男女关系有决定因素的男人的器官，除了胃，还有一件，那就是胳膊。男人的胳膊对女人很重要。如果我们仔细想一想，除了脸以外，男人的胳膊是女人可以注意的裸露的男人身体的唯一部分。男人可以露腿，但是男的可以盯着女人的大腿看个没够，女的可不能盯着男人的腿没完没了地看，但是看胳膊没事儿。女人对男人的爱情和欲望有时候就是看胳膊看出来的。比如在《查泰莱夫人的情人》一书中，查泰莱夫人就是看一个长工的淌着汗的、很有肌肉感的胳膊看出来的情人。好胳膊能够给女人带来无穷的联想，是浪漫的开始。

现如今的白领男人似乎也领会了这个道理，都知道二三十年代招女人喜欢的、细皮嫩肉的小白脸已经彻底过时了，要想得到女人的注意必须有好的肌肉，而由于胳膊是唯一展示肌肉的好地方（满脸肌肉是要不得的），所以大家都拥挤在健身房来回练习。连男人的服装都是为了显示好胳膊设计的。我在香港碰到一帮很牛的白领，都是什么投资公司做事的，一人一件紧身T恤，袖子紧紧地裹着练了又练的两只胳膊。这就充分能够证明胳膊的重要地位。

注意男人腿的女人很少，但是我认识一个，她还写了一篇关于男人腿的论文，得了奖，在什么学术刊物上发表了。这个女人是罗马尼亚人，她的丈夫到中国来工作后把她扔在巴黎，不理她了。她天天去罗浮宫，看米开朗琪罗雕塑的大卫，居然看出了一篇男人大腿的论文。虽然这也是成就，但是我觉得在现实生活中没有任何效仿价值。反而总让人觉得，这么注意男人大腿的女人肯定有点毛病。

还有很多所谓关键部位没有谈到，比如“心”。大家似乎有共识——“心”是本质，有什么“良心”、“恶心”、“虚心”等很多说法，但是我却不以为然。除了学医的，谁真的看过什么心长得什么样？实际上心除了蹦，没有什么其他重要功能。

另外，就是男人的脑子和男性生殖器官，这些方面我都没有研究过。想琢磨别人脑子里的事是很难的，不管是男人还是女人。再有，听说有的男人这两个器官是可以置换使用的，这种男人就更加深不可测，还是等着高人来解剖吧。

难看女人千万别贤惠

能让男人笑出声来的女人多，再难看也不会被忘记，这一点比漂亮女人还占便宜。有的时候漂亮女人似乎都长得差不多，说话一个味道，很快，她们的面孔、口音、身材在记忆里变得都一样了。有幽默感的女人很容易成为男人的“红颜知己”，男人愿意和这种女人掏心窝子，把自己一肚子的苦水都倒出来，甚至把这种女人当哥儿们，倾诉或者请教一些关于女人的问题。有点幽默感的丑女人绝对不会缺男友，她有一群“哥儿们”，但是没有太多男人愿意把个女侯宝林娶回家的。性生活也不会太活跃。男人最怕的就是女人在做爱时突然笑出来，他不知道女人在笑什么，往往会认为是在笑话自己，特别是在赤裸裸的时候，一想就想那儿去了，特别的伤自尊。所以有幽默感的女人有很多酒肉朋友，但是没有太多情人。

难看的女人要是有了钱，周围也会围着很多男人。但是和有幽默感的女人不一样，这些男人都不想当她的朋友或者哥们，都想娶她，再难看也无所谓。这时候需要难看的女人稍微有点智慧，留个心眼。找个爱钱的男人并没有坏处，但是总是要提防一下，日子会过得比较累。如果难看的有钱女人能想得开的话，那日子倒是蛮舒服的，她可以随便找情人，都品尝一遍就是不嫁，这也算是本事了。

女人要是非常难看，千万不要搞学问，如果又难看、又有学问就彻底没救了。男人本来就不看你，你要有这么高的学问他就更害怕了，所以和男人接触的几率就越来越低，以至于干脆就藏在实验室里面不出来了。所以我倒是建议漂亮女人多做点学问，这也是锦上添花嘛，不漂亮的女人可就千万别再读博士后了。

至于什么整容、化妆、健身等等，都是自欺欺人的事。男人和“人造美人”睡觉都有心理障碍，就更别说谈婚论嫁了。我有一个朋友说，自从他媳妇做了隆胸以后他就开始做同一个主题的噩梦——他老婆的胸跑到肩膀上去了。化妆也没什么用，总不能二十四小时吧。至于健身也是瞎扯，肌肉一多，男的也怕挨打，怕都来不及。一般你的女朋友都会鼓励你去做这种事情，也就是说女人为自己去做点这种事情还靠谱，但是如果为了男人就真算了，他们不吃这一套。

最没救的就是又难看又贤惠的女人——完了，千万不要听那些拿“内在美”说事的谎言。你有“内在美”没长相，雇你当保姆的人有的是，没人娶你当媳妇。那漂亮得要死，坏得流油的人总是被男人抱回家供养得好好的。多少年来，贤惠是女人最大的缺点，最后倒霉全是贤惠闹的。

怎么遍地都是美警察

我最近快被一帮子追求“美”的人快给逼疯了。

第一个是名逾迦老师，她逼我去上课，每次看见我都是笑嘻嘻又恶狠狠地说：“洪晃，你到底什么时候来上课？”我和她住一个院子里，吓得我看见她就过马路。她是好意，她能在一个月内帮我减掉十斤肥肉，但是我怎么也跟她说不明白，虽然我挺发福的，但是减肥不在我的“任务单”的前五位。

第二个也是个逾迦老师，我给她的书写了个前言，大致就说她的书挺好的，简单扼要，照着这种书像我这种笨人也能练逾迦。结果前几天接到几个记者朋友的电话，上来就问：

“洪姐，减肥哪？”

“没有啊，”我说。

“别瞒着了，我们都知道你天天在家练逾迦减肥哪。”

“真没有……”我还想辩护几句。

“算了吧，你也有权利爱美嘛，有时间聊聊。”他的语气里充满了

在活得非常现实的岁月里
有这么不实在的感情是件非常珍贵的事情……

——《老不死的爱》

行了行了不用再解释了！真没想到，要是我和你妈同时掉河里你竟然说要先救你妈！
王原
200508

一种“我发现你的秘密”的感觉。

我的第三个“美”警察是一个叫芳芳的好朋友，她有真正的魔鬼身材，要那有那，说话非常有感染力：

“亲—爱—的，”她见着我就说，“减！”

“我没事，到年纪了。”

“跟年龄没关系，减！宝宝，你原来身材多好，咱恢复，咱减！”

“我……”

“我帮你，咱俩一起去锻炼，不吃主食，不吃肉，少睡觉也管用，减！”

“那还活吗？”

现在似乎有个全民爱美运动。前一阵子我和一个客户吃饭，她是做美容设备的，跟我说中国人疯了，在最近一年多内，美容院——特别是做整容的美容院增加了几倍。据她说，韩国的整容师有一半在办中国签证，说这边要把自己模样改漂亮的人太多，生意太好做了。就在这顿饭不久，我自己的几个中年朋友居然参加了什么韩国美容团，真的去韩国把脸皮给拉了，眼袋给吸了，鼻子架直了。她们现在在街上走我大概都认不出来了。

世界上有好多国家都对美有一种疯狂的追求，大部分是第三世界。我的一个朋友住在阿根廷，她说在拉美国家，没有魔鬼身材几乎是犯罪，就连十几岁的孩子都在做各种各样的手术。如果一个女孩发胖，她的妈妈会找她谈话。我去过韩国，好像连捡破烂的都描眉花眼。

我算了一下，如果我按照美警察的规定去做，我每天的日程是这样的：

七点起床——两个小时梳洗、化妆。

十二点去健身房——至少两个钟头，一个钟头在路上，一个钟头在跑步机上。

五点钟去练逾加——至少一个半钟头，再加上换洗澡、换衣服，又得两钟头。

回家卸装——洗洗弄弄，又得一个钟头。

好家伙，就这么着七个钟头就没了！我不敢按照美警察的规定去做，第一个反对的是我家杨晓平，他肯定觉得我有外遇了，要不就是得了重病。美固然重要，但是不能是生活的全部。有句英文口头禅送给美警察们和被美警察逼着为美而活的人：Get a Life。意思就是“去找点生活去。”

2006春/夏流行趋势报道——本季流行闷骚

这两天，北京的室外温度都是C14-5度，春天一转弯就到了。做零售的朋友说，这种温度对时尚类产品的销售是最大的帮助，这种换季的温度，提醒都市的时髦男女马上去抢购这个季度的流行物什。作为工作在时尚前沿的媒体人员，我有义务总结一下我所看到过的中外信息，郑重地告诉大家：

本季流行闷骚

所谓性感，其最低境界就是裸露，而其最高境界则是“闷骚”。这“闷”劲儿非常难拿。闷骚的英文应该是sultry，这真是这季流行的，比如迪奥这季全部是肉色的crepe de chine，非常典型。法国人是闷骚的专家，比如，杜尚有一幅画，叫“L.H.O.O.Q”看上去不知道是什么意思，但是把这几个字母用法文读出来就知道这幅画多么的厉害。还有一个六十年代在法国红得发紫的英国美女，Jane Birkin，她那像小姑娘一样、半沙哑的嗓音，能唱得你心窝里直痒痒。她和她老公合唱的“Jet’ aime…moi non plus”是“闷”的绝活。

但是这“闷”活儿不是所有女人都能练的，没有一定的生理条件和素质是做不出来的。我自己试过几次，都以失败而告终，太不好拿了。首先，必须非常瘦，而且要平胸，把女性特征闷起来，向发育不良靠拢。如果丰乳肥臀，那就休想达到“闷”的境界。其次是眼睛不能太大，太亮，要有点朦胧的感觉，这叫bedroomeyes（睡房眼睛）。眼睛大的女性可以尽量把眼睛眯起来，要做出几乎没有焦点的眼神。我试过，结果所有人都问我：“你是近视眼吗？”

但是，我有不少女朋友都可以当“闷”博士后，她们对如何穿出“闷”简直是研究得淋漓尽致。我总结了一下她们的经验，主要有以下几条。

先说“闷”：

一、千万回避任何紧身的衣服，因为紧身和脱就差一步，把自己裹得跟一根香肠一样绝对和“闷”的根本道理是相反的，所以，穿衣服要非常宽松。

一、千万回避任何亮的颜色，这也是违背“闷”的原理的。一定要多选择暗的、半调的颜色，秘密是任何东西放点灰色进去就可以“闷”了，记住，灰是这季的黑。

再说“骚”：

一、既然非常瘦、平胸，就可以不戴胸罩，这是绝招，男人基本上疯掉。我有一个刚刚离婚的女朋友，在一个鸡尾酒会上用了这一招，一群男人，像小哈巴狗一样跟着她后面。

二、衣服宽松到有时候从肩膀上自然滑落下来。这招必须和（一）合用。切忌只有其（二），没有其（一）。还有，自然滑落只限于肩膀部位，千万不能用于其他部位。你知道我什么意思。

三、觉得（一）过分的人可以穿衬衫，大一点，常人解开两个扣子，玩“闷”的可以解开三个，但是应该有些蕾丝花边影子，没有的话，您还是扣上吧。

对于我来讲，赶这种时髦已经是望尘莫及了，但是我不想耽误那些正当年的女性，所以希望她们开始为春夏的流行趋势做充分的准备，并且拿出点实际行动来。而对于所有男人，这季有好戏给你们看了！

你的澡缸到位吗？

大部分人的澡缸应该是放在卫生间里面，除此以外，还有手盆，马桶。我可以想象在早上七点多的时候，有众多的小两口都在卫生间里面抢时间，也可能有一些比较悠闲地在里面聊天。如果是后者，一般是一个在澡缸里，一个在马桶上。这种情景最多是个温馨，但是不太性感，实在是委屈了“澡缸”这么性感的一个物什。

澡缸的性感的发挥主要由它的位置来决定，如果是在手盆和马桶中间就肯定没戏了。

比如说：古代人挺会利用洗澡发情的。看看形容杨贵妃洗澡的诗歌，你就可以想象一个老皇帝，坐在一把考究的太师椅上面，望着华清池里面的大美人，想入非非。再看今天，同样的事情可能是这样的：五星级酒店的大卫生间，到处是溜金瓷砖，一个美女在澡缸里，一个大款在马桶上观望她搓背，估计这种景象如果激励几句打油诗就已经算不容易了。

很多人会说这都怪现在的大款不如当年的皇帝有文化，而现在的美人又没有当年的杨贵妃有情调，我却不以为然。我的观点是主要是澡缸摆错地方了。

澡缸可以放在卧室里面。试想大款如果横躺在床上，用手掌撑着下巴颏，眯着眼睛看小美人挫背是不是就好多了？如果澡缸旁边还有很多蜡烛，澡缸里面还有玫瑰花瓣，虽然俗点，但是由于澡缸的位置正确，还是可以想入非非的。

我大学毕业的第二天在纽约找房子，由于实在没钱，中介很不专心地把我带到一个位于唐人街北面，小意大利区的一个老楼里面，在六层，没电梯，是个上上个世纪穷人过日子的地方。一进门就是个厨房，厨房里面就是个澡缸。中介跟我解释，卫生间就是放马桶的地方，而洗澡完全是另外一件事情，所以可以放在厨房里。他还乐呵呵地说，想想，你洗着澡，你的爱人给你在旁边的灶上做一杯热巧克力，或者从冰箱里开瓶香槟酒，多浪漫。如果和那些正常的公寓一样，把澡缸、手盆和马桶全放在一起，还有这种情绪吗？当时，我觉得这就是一个倒霉中介想把一个租不出去的房子租给我，给我编故事，所以理都没理，转身就说不要走人了。可是直到今天，那个房间的格局还是清清楚楚地在我脑子里。我后悔没有要那个小房子，没有尝试一下在厨房里面泡澡的滋味。甚至有时候我自己没事发呆，也会想象在那厨房里有一个穷困的意大利画家在做面条，他的裸体模特在澡缸里面戏水……多艺术嘻嘻的场面。

后来去加州，住在一个女电影工作者家中，发现她的澡缸的位置就非常有意思。她住在一个小Loft里面，卧室和澡缸在二层，但是不是封闭的。如果你是客人，坐在她楼下的客厅里，而她在楼上洗澡，你就能听到哗哗的水声。虽然看不见任何东西，但是动听的水声绝对可以让你动心、动情。女电影工作者又是前模特，魔鬼身材。我当时和前男友一起去她那里，我们坐在客厅听她洗澡时，前男友的情绪被水声感动挑逗得无地自容，使劲劝我一个人提前回纽约，让他自己在加州多住几天。

如今我也有两个非常好的女朋友精通澡缸的秘密。仔细一想，这两个女人虽然都不是黄花姑娘了，但是仍然是倾国倾城，而两个人的澡缸都不在卫生间里。一个在卧室里面，是透明的，就是放满了水也能看到水中人的躯体。澡缸是加大号的，能够让人全部平躺下来，可以让身材在水中全面展示。另外的一个女友的澡缸在客厅和卧室中间，两面的墙是推拉式的沙玻璃，可以完全将澡缸和客厅、卧室隔开，或者只隔一边，或者两边都半遮半掩，神秘、性感不是一般般的。

人，特别是女人，千万不要把洗澡仅仅放在清洁卫生之类的事项里面，一定要寓于点情绪，一定要想到诗歌可以从澡缸旁边诞生。

最后，我必须非常惭愧地向大家坦白，我家的澡缸就在手盆和马桶的正中间，倒是挺方便的。

他很老实，很能吃苦，也很爱我。可是我要的是能给我挑虱子的！
王原
200506

你断子绝孙！
你断子绝孙！
王原
200506

难得糊涂

中国人喜欢反着说话。郑板桥说“难得糊涂”那一瞬间肯定是他一辈子最清醒的时刻。

我们总说看书多的人是明白人，其实这是反话，书看多了肯定糊涂。我有两个好朋友，许知远和伊伟，是我认识的人里面看书看得最多的。就这么说吧，如果我想找一本讲老北京的书，我只需要给伊伟打个电话，马上就能获得一个至少有二十本书的口头目录，而且还带着一两句话的简介。想知道外国人又有什么新的理论，比如世界到底是圆的，平的，还是菱形的，问许知远就可以了。他不仅能告诉你关于地球的所有理论，而且都有出处，包括作者姓名、书名、出版社名、编辑名，连标点符号都不会拉下。牛吧。

但是我也能证明他俩根本不是明白人，因为这俩兄弟我还是挺了解的。

首先，他俩没媳妇；第二，他俩没发财。我们一起做“大人在说话”节目的时候，许知远说最值得做的一件事情，就是时常捧着一本书，坐在一个湖边僻静的板凳上发呆，这像明白人说的话吗？他说现在的人太忙，人如果没有时间发呆就会出问题，就没有思想了。伊伟更逗，本来身体就不是特别出色，死活要跟一个记者队去走可可西里，而且兴奋地说："这次去，真没准就出不来了。"这是明白人干的事吗？明明知道出不来还往里面冲？还好那记者队里有个什么队长是个明白人，拦了一把，没让他去。我当时担心他真有个三长两短，我还不一定找得着第二个伊伟。

这两个读书人，一个发呆，一个找死，充分证明看书越多越冒傻气。

我看见一个数据，中国的美元百万富翁绝对人数已经超过法国了，说明我们国家还是有明白人的。但是好像我们这儿像我这俩朋友这么冒傻气的读书人比法国少好多倍，而且大家都太明白，所以没人去干糊涂事。

难怪中国人说：难得糊涂。

我爸爸的逻辑

今天是三月八日，我爸爸的生日。我爸爸是个乐天派，就是在“文革”最艰苦的时候，他都能从生活中找到乐子。记得有一年秋天，他从江西干校回到北京，晒得特别黑。我们大家都心疼他这个旧日的上海公子怎么成了农民，而他却高兴地操着上海口音的英文，装成巴基斯坦人，跑到外宾供应站去给我们买了好多大虾吃！还笑呵呵地说：“要不是晒这么黑，谁会信我是巴基斯坦人！”

以下文章在书里登过，但是由于这些天比较忙，没来得及写新的，等哪天闲点，把我爸的故事好好给大家讲一下。他真的是个非常可爱的父亲，虽然也有点“非正常”。

我妈妈说，我身上的坏毛病都是从我爸爸身上继承的。

也的确是，我爸聪明不用功，我也是；我爸好吃，好抽烟，不注意身体，我也那样；我爸结过三次婚，我也整整三次，还在比他小得多的情况下，就把这三次都结完了。

我爸爸退休前是在北京大学教经济的，据他的学生说，他能把经济讲得生龙活虎；据他的同事说，他就是学术文章不好好写，所以别人都当头版头条的经济学家了而他老人家却退休了。

“文革”时期，我爸和我妈离婚以后交过一个女朋友，两个人吹了之后她去领导那里告我爸。那时候想整人就提“作风问题”，一整一个准儿，再加上我们家老爷子又是离过婚的人。

领导找我爸爸谈话说：“老洪啊，你怎么犯这种错误呢？本来都要让你复课教学生啦。”

我爸闷头不说话。

领导又说：“老洪啊，干校的苦你还没受够吗？你要是再受一次处分那可就又得回干校了。”

我爸听了有点动心了，大概干校挺不是人待的地方，于是笑眯眯地对领导说：“那我怎么办呢？”

领导看我爸有悔改的意思，就比较高兴，建议说：“老洪啊，这么着吧，我和党委再说一说，你就跟这个女的结婚吧，以前的事儿，就一笔勾销啦。”

我爸一听，连想都没想，就说：“那就算了吧，我还是回干校吧。”

领导没有见过如此不知好歹的，气愤地问他怎么能做出这种不顾全大局的决定，我爸理直气壮地解释说：“你想想，她没结婚就这么整我，那要是结婚了，还得了！”

就这么着，我爸又回干校放了几年鸭子。

前一阵子，我爸爸住进了朝阳医院换肾。他乐呵呵的，开刀的前一天晚上居然和我后妈一起下馆子吃饭，然后又去看老朋友，气得我骂他们两个人怎么都这么不懂事，然后把他们赶回了医院。

开刀的当天我们都坐在医院里等候他的体格检查结果。手术大夫来了，身后跟着心脏科主任，他们说我爸的心脏不好，做手术有一定的风险，要他再考虑一下，然后又把我和我后妈叫到走廊里，仔细地解释了一遍。我后妈立刻眼泪汪汪，不知所措地回到房间问我父亲是否坚持做手术，我爸斩钉截铁地说："做，做，做，要不然什么好吃的都不能吃。"我告诉护士我爸爸坚持换肾的原因，她们都笑了，说："这是什么逻辑。"

我爸爸的逻辑就是这样的，他算是我认识的人当中活得比较自在的一个人。我曾经向他抱怨，认为父母离婚让我这辈子不能愉快。他开导我说："其实你自己活好了就行了，干吗老想父母的事儿。"那时候我才15岁，别人都说这句话好不负责任，我倒是觉得，这句话救了我，以后我真的活得挺好的。

所以我还是挺高兴继承了我爸的逻辑，虽然毛病多了点，但是总而言之还是活得挺自在的。

就这么小心眼

海归对家乡的态度分两派：大方派和小心眼派。

大方派有几个共同点：配偶是外国人、在外国公司做高级白领、或者自己攒个公司也努足了劲去纳斯达克圈点外国钱。他们对家乡的态度比较大方，敢于批判，一般情况下都可以非常超脱地跟外国人一起尖锐地指出家乡的短处，从谁家的保姆不会扫地到满大街人随地吐痰。这里简单总结一下大方类海归的观点特征，以便识别：

1、口头禅里面少不了Local这个英文词。其原意是“本土”，但是从外国人和已经国际化的海归嘴里说出来就有点变态。经常听到这种话：“她就是Local的。”“她那出国就是镀金，其实她还是很Local的。”“现在连Local都买得起路易·威登了”。

2、家乡的女人都是妖精。特别是大方类的女海归通常这么认为。她们特别愿意为Local女人的扮相挑毛病，统一的评论是“俗不可耐”，但是也承认家乡女人是最危险的情敌。

我家晓平说：开着灯混就能混好了。
我觉得：得知道自己要什么才行，
不能黑灯瞎火把好好的单凤眼全刺成双眼皮了。

——《都说混血小孩子长得好看》

你们到底什么时候给
我生弟弟呀?

3、在指出家乡的缺点之后，一般要补充一下其第二故乡的优点。比如“法国人、美国人、英国人就如何如何。”这就也带出这类海归大部分是欧美回来的。你就没听人说过“非洲人如何如何”。

我是小心眼派的。我们这类的特征如下：配偶是个Local；自己做公司赚了点臭钱。我们也对家乡好多风土人情有看法，但是这批评的事我们说可以，外国人说不行，站在外国人的立场说更不行。谁要是在我们面前多嘴，就会被臭骂一顿。一般我们骂人的口头禅有“那你X的干吗不回你们那儿去？在这儿待着干么？”我们这帮小心眼的语言上也比较Local，不像大方派的海归，说出来的话我都能写出来。我们的语言经常需要X◎※＃X◎代替。这些日子我的《乐》就被另一个小心眼海归批判了。

“你〖※◎§‰《乐》上面怎么有个外国＃※□◎○※胡说八道骂北京。”她说。

“没有啊，”我说。

“别※◎＋＄№，白纸黑字，自己看去。”她理直气壮。

“是英文刊上面吧？”我有点心虚。“我得骂那※◎mm主编去。”

“你最近是不是有毛病啊，那天我看见你跟XX（一个大方派的海归）吃饭，她※○◎最看不起中国人。”她气愤地说。

“那是工作上的事，我没跟她一块玩儿。”我忙着辩护。

“她挑了个全世界最难看的外国人，然后天天坐那儿指手画脚说中国如何如何俗。”

我太知道她说的是谁了。那老外的模样是没法看，又肥又丑，而且还抠鼻子，但是永远在评论Local人如何如何。说老实话，不骂这种※□○·÷№还骂谁哪？

我们这些小心眼一派就是这样的。我们自己也知道家乡不都是山清水秀，但是我们不希望别人居高临下地评论我们。这种评论不能让我们有长进，只能招我们臭骂他们一顿。我们受不了别人用一种讽刺、挖苦的声调评头论足我们的城市和同胞。我们承认这也许是狭隘的，但是没办法，我们就这么小心眼。

据说——员工谈恋爱是好事，

老在公司呆者，

以公司为家；

其实——是以公司为“床”，

家还是有自己的家，

就是把家里办不了的事情，

拿到公司来办了。

——《以公司为床》

二、家常理短

JIACHANGLIDUAN

四合院里的“文革”

一到春天，我就有点怀旧，想我们家的四合院，今年也不例外。前几天，看门的张叔叔打电话说：“院子里的花都开了，可好看了，可惜你和你妈都不在。”谁都以为四合院里的生活一定高雅得一塌糊涂，而所谓书香门第更是在院子里赏花、观月、吟诗、品茶、作词，饮酒，呼吸的每一口空气都有文化味道。

其实未必。

小的时候，我们家四合院基本上是块自留地，院子中心有一个圆的大花池，花一棵没有，全让我们家人种了花生。收花生对我来讲是一大快乐，爸妈把花生从泥里拔出来，我负责把花生从根上揪下来，弄得浑身是泥，满脸是土。我外婆是个有洁癖的上海老太太，每次看见我父母允许我当花生农民都非常有意见。她总是站在客厅门口，半开着沙门喊：“妞妞，进来吧，进来吧。”

除了花生我家四合院里还种了丝瓜和苦瓜。这两种菜都是我外公喜欢吃的，当时在北京几乎买不到，想吃就得眼巴巴地等着外地的亲戚朋友带来，所以干脆自己种。丝瓜的花儿是黄的，特别大，我喜欢摘丝瓜花戴头发里。我家阿姨说我，花都让你揪光了，外公吃什么丝瓜！外公却笑呵呵地说，让她去，让她去。苦瓜的籽是甜的，我们家不吃青色的苦瓜，一定要等苦瓜发黄了才摘下来吃。我总是等着大人把苦瓜切开，然后把里面红色的籽用舌头舔出来，弄得满脸都是籽，一个大花脸。外婆很看不惯我这付吃相，总是非常不理解地看着我说："妞妞，上海的大白兔奶糖不比这个好吃啊？"

"文革"的时候解放军到我家来挖了个豪华防空洞。洞内的墙是青砖，洞口是水泥，还有一个瓦楞铁的盖子。解放军砌了两个洞口，一个大的豪华洞口，有水泥台阶和扶手，说是给老人用的。另外一个直上直下的，有几节埋在砖墙里面的梯子，这是给院子里其他人用的。胡同里经常有演习，只要喇叭里响起警笛声，大家都要钻防空洞。街道委员会还会来检查，不钻防空洞是要处治的。我天天盼着演习，只要警笛一响，我就学着解放军的样子，先把我外婆从有台阶的洞口搀扶下去，然后我自己再跑上来，从小洞口重新趴下去。我外婆怕我摔着，总是喊："妞妞啊，不要再出去了，不是已经下来了嘛。"我当然觉得爬梯子好玩，每次都要两次进洞，还非常认真地跟我外婆解释说，解放军叔叔说的，有台阶的洞口只给外婆和外公用。我外婆总是叹口气，小声嘟囔说：解放军真多事，教小孩这些干什么。

除了我外婆，彭嫂是四合院里另一个中心人物，她是带我长大的阿姨。彭嫂胖胖的，浓眉，小眼，样子有点凶。外婆不太喜欢她，但是就是离不开她，一来她很会做家务，二来我跟她几乎形影不离，最重要的是彭嫂做一手好菜，没了她我们的伙食水平会降低一大块。"文革”的时候，彭嫂在四合院里造了一把反。她找我外婆谈话，说她是这个四合院里唯一的无产阶级，我们一家除了我都是封资修，所以她应该带领我们所有人做早请示、晚汇报。我外婆已经被红卫兵抄家吓破了胆，立刻同意了，但是心里一定恨死了这个会做饭的造反派。彭嫂任命我当她的助手，每天早上摇铃，把大家都聚集到饭厅里对着毛主席像唱《东方红》，然后吃她做的绿豆粥，煎的葱油饼；傍晚再摇一次铃，这回唱《大海航行靠舵手》，然后吃她炖的肘子，炒的豆豉苦瓜，豆瓣酥，还有香喷喷的白米饭。我外婆只吃米，不吃面，我们家永远要把面票换成米票，这些都是彭嫂的活儿。那时候，三天两头有最新指示发表，然后大家都要戴上毛主席像章上街游行庆祝，彭嫂总是带着我一起去，她在高喊口号的空隙中总是忙着把我们家的面票都换成米票。

我不知道怎么能够回忆四合院而不想到“文革”，想起外婆，不想抄家；想起彭嫂，不想起游行；想起爸妈种花生，不想他们离婚。也许这些把美和丑，快乐和伤感，善良和罪恶都拧在一起的记忆正是我最宝贵的财富。

没那么多混蛋爸爸吧

我觉得说到孩子，所有大人，不管男女，都没有什么权利可言，只有义务。而当一个男人对一个孩子履行义务的时候，他是非常感人、而且性感的。这件事情好莱坞是最清楚的。比如十年前非常走红的片子《Sleepless in Seatle》里面的男主角（Tom Hanks 主演）就是一个非常负责任的单身爸爸。前一阵子有一个英国电影，叫《About a Boy》，（Hugh Grant 主演）。故事是说一个钻石王老五被一个没人理的小男孩缠上了，其中有一段情节是Hugh Grant假装他是个非常辛苦的单身父亲，而因此得到了一片漂亮单身妈妈的照顾和爱戴。好莱坞特别明白这种电影有女人缘，可以说绝大部分女人都对喜欢孩子的男人别有钟情。

我不记得任何中国电影里面有同样的形象，大部分中国电影中“爸爸”的形象都不是这样的。比如历代皇帝如何以江山的名义把自己儿子给杀了，把女儿给送了，这是古代的；还有那种《一江春水向东流》中的男人，为了名利，连自己的孩子都不认的男人，这属于现代

我想开始从单纯的存钱转变成管理钱……
王原
200503

3号运动员
抢跑！
100 M
88
77
王原
2002.9.7.

的；再有就是那种为了事业等等干脆不要孩子的男人，这好像是当代的。在我印象中，似乎所有对孩子好的单身爸爸都是老好人，大面瓜，对孩子好也是望子成龙，只要比自己强就行了。对孩子不好的倒都是些帝王将相，成功人士，似乎男人一恋家就没出息了。总而言之，在咱们这儿，一说到男人跟孩子这事情，大部分都是混蛋爸爸。

其实我们的生活中有好多好爸爸。我就特别喜欢晓平和他儿子的那种关系。我们一直是很能睡懒觉的一对，但一个月前，晓平居然在周六的晚上非常认真地上闹钟。

“干吗？”我问。

“接乐队。”他说。

“什么乐队？”我彻底糊涂了。

“摇滚的。”

“什么摇滚乐队？”

“我儿子的摇滚乐队啊。”他咧着嘴笑了。

周日早上十点，四个法国学校的孩子从晓平的车上跳下来，每个人手里拿着把乐器，满脸“愤怒青年”的表情，看见我，皱着眉头说了声：“阿姨好”，然后迅速转身进了我们家一楼的客房。一会儿屋子里传来了震耳欲聋的声音，有鼓，有吉他，有BASS，有人声，但这些声音之间的关系简直是一团糨糊。我家一层的邻居是摄影师闻晓阳的摄影棚，他的两个助手早上已经被声音给惊着了，晓阳也过来加班，确认了一下这小乐队是不是准备每周日都排练，然后立刻转身给自己和工作人员买耳塞去了。中午，我看见晓平急急忙忙地开车出去，一会儿回来，拎着两口袋麦当劳，给乐队买中饭去了。晚上我从外面回来，看见晓平在门口靠在车上听里面乐队的声音，还是一团糨糊，但是比早上有点节奏感了。

“你怎么不进去听？”我问他。

“没事，一帮孩子，让他们自己玩。”他笑呵呵地点了一支烟。

“那你干吗在外面？”

“待会儿该送他们回去了，我就这等会儿。”

已经一个多月了，每个周日他都一早把乐队接来，中午去买麦当劳，傍晚再把孩子们都送回去。晓平和我有一帮搞音乐的朋友，大家都说要帮忙，把这四个孩子的声音调好了，训练一下，说不定呢，中国下一个崔健就在我们家客房里练出来了。

“就是一帮孩子，高兴就行了。”他不望子成龙。他只要孩子高兴。

今天早上我出门的时候又听了听，居然有点原创音乐的感觉了，当我告诉晓平的时候，他脸上的每条皱纹都笑出了一个父亲的骄傲。

亲爱的，闭嘴，你是我的都市玉男

我学了个新词，叫Metro Sexual，说是现在最受女人欢迎的男人名称。他们最大的特征是有同性恋男人的敏感，但是仍然是异性恋。首先他们非常会穿衣服，知道什么叫时髦。上班知道穿Slimane和Paul Smith设计的西装，下班知道穿Zegna和Prada的休闲。其次他们喜欢Shopping，他们陪女人出去买衣服的时候非常投入，品头论足，完全互动。同时这些男人都是美食家，不仅知道都市最“in”的餐厅，而且自己还可以掌勺，有非常动人的烹调技术。最重要的是这些男人是优秀的聆听者，他们可以非常聚精会神地听女人痛诉恋爱悲剧，关键时刻还将自己的肩膀慷慨借出来让女人在上面哭一鼻子。另外与这种男人交往没有任何副作用，其之擅长和女人打交道到了与众多女人分手之后仍然以“知己”身份往来的地步。从纽约回来的朋友说，这种男人是跟着电视连续剧《欲望城市》流行起来的，这是当今的白马王子。

我家男人可不是这样的。从来不讲究穿，连套西装都没有；我去买东西的时候，他就在外面抽烟；吃东西不认环境只认饭，让他请客就是去吃顿涮羊肉。倒是不太爱说话，配我这种话痨很合适，可以有时候我在说话，他在打盹。而且周围都是一帮老爷们朋友，没事就去掏旧货，买怀表，看足球，就是有女朋友也藏得好好的，丝毫不露。我俩过得挺好，要不是这些纽约人在这里拌嘴，说什么Metro Sexual，我们还不知道我们已经不是时髦人了，我们的生活方式已经折旧了。怪不得我不爱看《欲望城市》，觉得那里面的女人都够"嘬"的。

昨天去三联书店，一进门就看见《查特莱夫人的情人》在最显眼的地方摆着。我大概上中学的时候，这本书是英文课的必读书，里面的内容已经差不多忘光了，还好看过一个半黄不黄也叫《查特莱夫人的情人》的电影，虽然镜头都是虚的，有些场景却依然记忆犹新。我想了一下，觉得应该对比一下查特莱夫人、欲望城市女人和我所喜爱的男人到底有什么区别：

	查特莱夫人	我	欲望都市女人
职业	蓝领	除了艺术家,都行	都市时髦人类
模样	健壮	伐木工人	会打扮
谈吐	不爱说话	不爱说话	不爱说话,还爱听女人说话
购物	不知道这俩字啥意思	不拦着我花钱就行	几乎专业导购
住宿	仆人住的地方	同居,省钱	同一高级公寓
食物	不可能共同就餐	一起涮羊肉	共同出入最"in"场所
社交	想都别想	亲朋好友	一定要秀给别人
财产	清贫如洗	自己养活自己	腰缠万贯
情敌	识字的农村寡妇	单身女人	成千上万都市同岁的离异中年女友

仔细分析一下这个对比结果，我们可以推论出以下几条：

一、女人越来越要有社会地位的男人。这挺有意思，性一解放，女人对情人的要求也高了，好像不能像查特莱夫人那样洒脱了。那时候的情人是在小木屋里偷情，现在的情人要能出入各种场面，能去鸡尾酒会，能说外文。

二、女人越来越自私了，希望有个能够围着自己转的男人。这挺自然的，女人现在都有自己的职业了，也挣钱了，完全自我为中心的男人越来越不讨人喜欢了。反正自我和财产是成反比的。你要有好多好多钱，女人才可能容忍你的大EGO。不然的话，凭什么呀！

三、我们已经完全进入消费世界，男人要是不懂得消费，那是不会讨女人喜欢的，甚至连共同语言都没有，就别说情人了。现如今对男人来讲，有个好的消费观，对找个情人要比有什么好的世界观和道德观更重要。

四、最最最重要的一点是：古今中外，没有女人喜欢话多的男人，所以闭闭嘴吧，用你的耳朵谈情说爱。

我发现这么一比，我的性意识已经非常落伍了，在查特莱夫人和欲望城市女人之间。特此邀请本地的欲望城市女人来写Sextalk这个专栏，不想再把我这种开始发锈的东西在外面瞎说八道了。如果有Metro Sexual的男人来代替更是再好不过。

至于我该干什么去，我很清楚，接着拉广告就是了。

男人管理好N个女人的方式方法

我有个老同学，一个人娶了两个老婆，一中一外。这件事情在纽约的华人里面非常轰动，老同学自己从来不回避，他经常出没各种派对，嘴里叼着雪茄烟，手里拿着香槟说：

“我他妈得做个床，能睡三个人的床连他妈美国都没卖的。”

老同学的大老婆是个美国人，在华尔街做事情，而且非常出色；二老婆是上海人，我没见过本人，只看过照片，漂亮、温柔，是典型的上海小姐。大概七年前这两个老婆在同一个冬天，一人给他生了一个闺女。

同时娶好几个老婆的人，我这辈子还认识一位，就是我外公。他的大老婆给他生了三个儿子，但是感情不太好，所以从来不在一起住，我也没见过她。我的外婆是二老婆，我妈妈的妈妈，解放后跟着我外公在北京安营扎寨，是她带我长大，所以我跟她最亲。第三位外婆我们一直叫她殷夫人，49年以后一直住在香港，听我妈妈讲，抗战胜利以后的几年，三位夫人曾经都住在上海，但是各自有自己的房子，礼仪上稍许有些往来，有距离地和平共处。

如果允许，大部分男人都不反对同时占有N个女人，但是如何管理好这种复杂交错的关系没有人研究过。曾经有人翻译过一本用哈佛MBA方式帮助大龄女人找丈夫的书，我想我们似乎也可以用先进的企业管理原则来帮助花心男人分析一下，如何管理N个女人。

我的老同学的管理方式可以说是比较注重team work，就是团队精神。这是外国人的一套，现在在中国公司里面也开始流行。很多大公司经常把一队人马拉到荒郊野外过一个周末，其中一个训练项目是让一个人倒在他同事的怀抱中，这叫trust building，让同事之间建立信任。我看这招没戏，设想大老婆倒下的时刻这些其他老婆会抱她吗？别做梦了。摔死大老婆还不恐怖，真正的噩梦是如果老婆们抱团开始整治你，那就惨了。

我的老同学就是这样的下场。两个女儿落地以后，他开始为四个女人的生活奔命，长期出差在外。据说，有天回到家中，发现他的照片在客厅消失，两个老婆的性倾向在他出门的时候发生变化——决定把他驱逐在大床之外，有用的时候叫他上来就可以了。所以team work是很危险的尝试。

我外公的做法应该叫Compartmentalize，就是部门化，好像这是老掉牙的管理方式，说是不能激发员工的积极性和创造性。但是我想，有N个女人的男人大概不需要这些女人发挥什么创作性，要以安定、太平为第一目的，没有兴奋点就没有吧，所以这还是非常可以借鉴的管理方式。事实也证明，虽然我外公从来没有像我同学那样莺歌燕舞，但是终归还是地久天长。

还有第三种，跟中国民营企业管理方式非常相似——就是靠个人魅力。这种管理方式可以说跟意大利情圣Casa Nova差不多。这个伟大的情人完全依靠个人魅力征服了很多女人，他伟大的地方在于，和他在一起的时候，每个女人都感到是他的终极恋人。民营老板也一样，靠个人魅力拢住一群人，不管他找多少人谈话，你总觉得他下一个肯定提拔你。这种方式就是累，而且长期效益不是非常好，就像Casa Nova，最后穷困潦倒，把身体也搞得非常糟糕。

作为女人，我当然不喜欢男人花心，但是实在看不得一团混乱的管理，不仅自己累着，还制造了一批怨妇、弃女，有损于和谐社会的建立。

最后还要加一句，今年春节的最后一天我在一个商场里面碰到我的老同学，他的确显得比以前疲惫，而且非常低调，说是要买个小小的剃须刀，然后就匆匆地走了。

我们生活在卡通时代，一切需要形式、夸张……

“情人节”是个卡通节日，每个动作都是被策划出来的。

但是这总比忙得忘了谈恋爱强。

——《情人不过节》

可能是我没把问题说清楚，我再问一次亲爱的，你想好了再回答。如果你妈妈和我同时掉河里，你先救哪一个？
王原
200504

都说混血小孩长得好看

都说混血小孩长得好看,我可见过丑的,不仅相貌难看,人品也不怎么样,集中了所有中外的缺点。就拿长相来说吧,我觉得中国人的小单凤眼挺好看的,不太明白为什么这么多人排队刺双眼皮。中国人的鼻子倒是个问题,我就是一个范例,塌鼻梁——连幅漂亮的墨镜都架不住,干着急。没混好的长相就是两只贼亮的大眼睛,但是脸上其他轮廓全是瘪的,活像个E.T。

我最佩服当代西方人的是他们的想象力和源源不断的创新力。相比之下,我们抄袭的能力远远超过了我们的原创。而我们的优点是现实——战争,贫困,政治运动培养了一个非常实在的民族。好好活着是件不容易的事情。与中国人相反,西方人的缺点恰恰来自于他们的舒适,养了一身的懒肉,吃不了苦。我们的问题也来自于中国人的艰辛,让我们长了太多心眼,天天算计,活得太累。

混血没混好就会弄出一个诡计多端的大懒虫,一个实实在在的投机分子。

国家，社会，公司和人没什么两样的。我每次看到无数中国公司在没有任何业绩和利润的时候开始大讲特讲什么“企业文化”，搞各种稀奇古怪从西方抄来的培训，就觉得这跟刺双眼皮没啥两样。前一阵子，一个很能干的大学生到我这儿介绍他自己开的学生公司。先是给我讲了一大堆他的经营理念和公司文化，什么第一个大学生公司云云，说要如何培养一支学生销售队伍，要做品牌等等，说得我都晕了，心里想，现在的孩子真不简单，我都快听不明白了。谁知道他前脚刚走，他的部下就过来说，这个还没有登记的大学生公司已经半年不发工资了，他们都准备走了。模样是挺洋，但是都是外表，真东西没有，咱自己那点实在也丢干净了。就是再土的农民都会告诉他，找人干活得给钱。

还有一个没混好的例子就是一些在中国待得都出油的老外。说一口流利的中文，而且学了中国人所有的坏毛病，玩心眼。前些日子碰到这么一个，跟警察差不多把我的家史问了个底儿掉：你为什么说这么好的英文？你家里是不是有当官的？你现在都有哪些关系？等等。我想我鼻子要是大点他不敢这么不要脸地审问。但是这种人一到中国就把西方的家教全忘光了，变得比中国人还赤裸裸。过着舒服日子还这么迫不及待是不允许的。

我家晓平有个混血儿子是属于混得好的，模样俊得让人舍不得不看他，到哪儿都有人说：“这孩子长得真漂亮。”

他就回答：“我是中法合资的。”大方死了，招人爱。

我问晓平为什么他家孩子混得好，他想了想说：“开着灯混就能混好了。”

我想了想，这话跟咱国家抵抗全盘西化的政策差不多，知道自己要什么才行，不能黑灯瞎火把好好的单凤眼全剌成双眼皮了。

献身还是卖身?

一年半以前，艺术家方力钧打电话来，说："晃，借我你脑袋用一下吧。"

"行。"我一口答应，"干什么使？"

"你够逗的，"他说，"别人都得先问问，再答应，你怎么先答应了才问！就翻个模子。"

"行，就这么着。"

这个对话过了不久以后，张欣打电话来说："晃，听说你的脑袋要当艺术品了，老方把你脑袋要放在他的人头雕塑系列里面。"我心里美滋滋地，看看，看看，我的脑袋会变成作品，多了不起，但是嘴上却还假谦虚地说："为艺术献身，为艺术献身。"

*一般我们都认为，为艺术献身是非常伟大的事情，跟为革命献身差不多一样光荣。再仔细想想，只要是抽象的都可以称为"献身"，但是任何实用的东西就是"卖身"了。*比如可以为爱情献身，但是不能为爱人献身；可以为国家献身，不能为公司献身；可以为时尚献身，不

能为出版人献身。后者全是卖身。而时尚类行业需要从业者本着献身的精神去干卖身的活儿，真可谓是可歌可泣。这劲儿不好拿，难怪这个行当还是能够得到广大时尚青年的仰慕的。

方力钧的电话打完之后，一年半没有音信，我也就把这事情忘得一干二净，接着忙我那卖身求荣的时尚事业。突然，上个周末，老方又来电话了："这周日行吗？"他问。

"行，干什么呀？"我回答道。

"借你脑袋翻模子。"他提醒道。

"对对对，太好了，我以为没机会为艺术献身了呢。"我高兴地说。

"你能叫上刘索拉吗？"他问，"我也想翻她的脑袋。"

"没问题。"我一口答应，心想求刘索拉为艺术献身应该很简单，她已经习惯了。

谁知道当我问索拉的时候，她却非常谨慎。

"怎么翻啊？"她问。

"我也不清楚，就把你脑袋糊着石膏里面，好像。"

"那不闷死啊？"她说。

我想了一下觉得她说得有道理，又打电话询问了一下，回来跟她汇报说："闷不死，给你鼻子孔里塞两根脉管，你能接着喘气。"

"那万一脉管掉了呢？要多长时间？"

我又被问住了，再打电话咨询。

没想到献身这么复杂。

"只用 20 分钟，你可以自己用手抓住脉管，不会掉。"我及时汇报道。

"这么着，我陪你去，先看看。"她说。"为艺术献身得是熟人，不能随便献身，我跟方力钧不太熟。"

我想了想，觉得她这话极其有道理，献身只能献给熟人，不能随便献身，还是老艺术家献身经验比较丰富，不像我这种小商人，天天卖身，终于有献身机会就这么激动、草率。

周日我们到了中央美院雕塑系的工作室，进门时候看见艺术家庆庆已经在那里献身了。她脸上都是油，嘴里叼着一个脉管，脸上的表情太像马上要献身了，以至于刘索拉马上警惕地问："她怎么用嘴叼着脉管，不是说插鼻子里面吗？"

"她有鼻炎，用嘴更方便。"方力钧解释说。

"啊？那不跟在水底下待20分钟一样！"

《无穷动》后遗症之一
——“索拉·刘！”

拍戏的时候，只要宁瀛大吼一声“索拉刘！”我们就知道这位大才女又犯错误了。我回忆了一下，导演骂得最厉害的就是这索拉·刘。

整个拍摄过程中，索拉就是个倒霉蛋。宁瀛给她的第一个任务就是挑衅所有演员，当然除了我妈以外，这个她们谁也不敢。挑斗的方式是找每个人个别谈话，只说缺点，找软的地方掐，说哭了为止。有的演员干脆给说没了，留下来的都恨死刘索拉，特别是平燕妮，戏中的“叶太太”。她和索拉已经是二十多年的朋友，高高兴兴来到剧组，上来就被刘索拉彻底损了一顿，疯掉，立刻回家准备了一箩筐的话往狠了报复。李勤勤还好，她是我们中间唯一的专业演员，大概早就熟悉了导演这种玩人的小把戏，虽然见完索拉也是鼻涕一把泪一把，但是拍戏的时候没报复她，就算过去了。我已经做好所有思想准备，但是宁瀛看见我的面目已经足够狰狞，就说算了。唯一这个不懂事的索拉刘还乐呵呵地说，“干吗不让我损她啊？我非把她说哭了，叫她当喜剧演员。”现在回想一下，她要真这么干，我一定利用在我家拍摄的有利条件，叫她连口热水都喝不上，弄死她。

索拉现在不一定会承认，但是她头一天来到剧组绝对是来玩的感觉，还带着老公。这天宁瀛特意安排了一些比较轻的戏——打麻将。由于从开拍以后，这是头一回四个人都到场，大家都有点激动。只有宁瀛紧皱着眉头，看着我们在一旁有说有笑，忍不住说：“你们能不能安静点，等待会拍的时候再说。”我们怎么听得进去，都是熟人，哇啦哇啦穷聊。等到导演和剧组把现场搞定，灯光亮了，我们都在位置上，导演喊了声“开始！”我们都不会说话了。

“停！”宁瀛喊道。“你们怎么都不说话了？”

“没台词啊，导演。”我们七嘴八舌地说。

“这儿不用台词，你们就着刚才的话题聊吧，”宁瀛想了一下，接着说，“刚才你们不是在聊婚后性生活吗？就接着这个话题说吧。好，开始！”

灯光亮了，场上仍然静悄悄的，大家都开始紧张，突然有人大声说：“聊什么啊，导演，那话对着镜头说，合适嘛！”我们哄堂大笑。再转脸看宁瀛，那眼神恨不得把我们都吃了。就这么磨叽了几个钟头，宁瀛放弃了拍摄，说：“坐下来，把你们刚才说的话都重说一遍。”我们一个个都支支吾吾，有点拿不住导演葫芦里面卖得什么样。

“更年期没什么，挺好的。”又是刘索拉第一个放炮，“真的，没事。”

宁瀛劈里啪啦地打字。

“好什么呀，”平燕妮说，“革命人永远年轻，你更我不更。”

过了几天，宁瀛对索拉说：“这场戏，你从外面进来，就说更年期

报上说夫妻互相给对方
梳头可以增进感情……
王原
200505

别瞎想亲爱的，我根本不是对你没兴趣了，我现在就连对陌生漂亮的都没兴趣了...
王原
2002.5.24

的事。”

“我干么一进门就说更年期啊？”索拉吃惊地说，“多怪啊。”

“你那天还说更年期挺好的。”宁瀛提醒她。

“我说了吗？”索拉有点糊涂了，或者在装糊涂。

宁瀛立刻递过来一张打印出来的纸说:“说了，我都记下来了。你自己看看。”

索拉立刻哑巴了.

拍摄开始了，索拉刘这个倒霉蛋推门进来，大声说：“告诉你们，我更啦！”

《无穷动》后遗症之二

——要送信、能杀人的电影

英文里面Message是个双意词：一是信息，口信；二是作品里面的深层的涵义。很多年前，一个有抱负的导演和米高梅的大老板Samuel Goldwyn争吵起来，导演说他拍的电影里面有一个Message，一个深层的涵义.这位大老板马上反击道:

“This is amovie,if you want to send a message,use western union(这是个电影，要送信，找邮局去)。”

宁瀛就是那种偏要用电影送信的导演。

四年前，我是通过索拉认识宁瀛的，属于那种一拍即合、没有什么磨合期的朋友，几乎每个周末都要在一起吃饭，吃完饭我们三个人聊天、八卦、说别人坏话，三个男人在桌子的另一头玩牌、抽烟斗，鼓捣古董表、怀表。一般过了午夜，总是桌子那头的男人扛不住了，说声：“回家吧，你们怎么老这么没完没了。”

我的记性不太好，但是整个电影的开始是因为刘索拉确信我不当喜剧演员是中国电影工业的一大损失。我喜欢模仿人，我能观察一个人的细节，比如宁瀛，她认真的时候会用两只贼亮的眼睛死盯着你，小嘴紧闭。如果对面是一个男人，看见她这副样子脑子里一定会有突发的性欲。索拉比较难模仿，她说话手舞足蹈，而且经常用旋律来形容人的行为，比如她会这样形容一个荡妇：“扒巴拉，答巴拉两下子，这女的就跟他干了。”和她们比起来，我没有任何原创能力，但是我比较敢于牺牲自己，能丑态百出。

“宁瀛，你得让丫演电影，”索拉说，“你看她那德行，不当演员真他妈可惜了。”这话说了不知道多少遍。宁瀛把我俩叫到她家，叫刘索拉给我化妆，让我演小品。我记得当时我特别喜欢模仿那些胳膊上挎个中国男艺术家的外国女人，就胡闹地演了一个法国人，一个英国人，一个德国人。然后索拉和我一起演出了一场恶作剧的时尚派对，把周围所有人都捎上了，到最后我们自己笑得上气不接下气，半夜四点嘻嘻哈哈地回了家。现在想想，已经记不清那段带子宁瀛有没有给我们放过，但是还好她手下留情，没进电影。

一直到电影拍完，我还是抱着一种幻想，即《无穷动》是那天晚上的一种翻版——我将成为一个喜剧大腕，冯小刚会到处跟人要我手机号码。没有想到宁瀛在剪接时候狠狠地埋藏了一个Message，一个深层的含义，使这个电影跟我原来想象的完全不一样。

至于这个含义是什么，我也搞不清楚。是骂中国的成功女性？——其实她们多不容易啊！丑化我们过于物质化的生活？——那穷了那么多年享受一下难道有罪吗？重新定义美丽？——不会吧，再怎么化妆也没人把我当美女卖了！我实在有点糊涂。

周日在北京的首映我没去，原因是在没有跟我打招呼的情况下，狂轰滥炸的宣传居然把电影和我私生活联系在一起，好像这电影是我投资拍的，让我目瞪口呆。我没投一分钱，也没要一分钱。宁导当时要给我五千元我没要，觉得就是玩，给了我妈一万场地费，她许诺如果电影赚钱，给我们分红2%。而至于我本意想拍一个女性题材的电影，却被反认为又是围绕一个男人转的电影，这真是对我最大的讽刺。

所以，在《无穷动》即将公演的前夜，我的感觉像一个工具，比如一把刀，导演拿我切菜，我就是菜刀；导演拿我杀人我就成了凶器。而最后，导演把我杀了。

对人、找免费演员的导演、还有最可怕的媒体，我都会说点发犯傻的话，答应几件冒傻气的事，后果肯定一发不可收拾。这时候搞点形而上的研究，弄点什么哲学、神学什么的，比较靠谱。

刚看了半本书，我就发现真不得了，我发现了一个没人研究过的新教——名牌教。跟所有宗教一样，名牌教有教堂，恒隆广场，国贸等等；也有教父，就是时装杂志的主编；还有一大堆信徒。

又上网游了一圈，发现潘石屹在他的布告栏里面有个德兰修女的《事业卡》，文字如下：

沉默的果实是祈祷，

祈祷的果实是信仰，

信仰的果实是仁爱，

仁爱的果实是服务，

服务的果实是和平。

拿来篡改一把，改为名牌修女《事业卡》：

沉默的果实是驯服，

驯服的果实是金钱，

金钱的果实是名牌，

名牌的果实是地位，

地位的果实是权利。

明显这是胡说八道，我今天写的东西真不靠谱，还是别丢人了，接着搞研究去。

狗屎文化

中国的商人真牛叉,为了卖点东西，到处找文化概念，古今中外，都用上了。

那天我去吃饭，有大款开了一瓶白酒，让他一说，这酒的包装可真是中国文化的精品了，从里到外都渗透了大中华文化：瓶子是个华表，上面的花纹和老祖宗留下来的差不多，只是糙了很多，是工业模子里成批成批出来的，不是手工的；那瓶盖上有个什么像狮子但是不叫狮子的东西，说是看家用的，远看真像金子，近看已经脱皮了；装瓶子的盒子更有讲究，首先有个“新华门”，还做了两个假的小铜门环，开盒子就是开门。说盒子还不是正方的，是棺材形状的，因为中国有个说法，谁看见棺材就能升官。这纸板糊的东西立刻成了中华精品，据说还卖到五大洲四大洋的。不光是做酒的知道怎么卖文化概念，还有卖房子，卖车，卖避孕套的，都会。卖房子的先是喜欢从外国借点东西，从那名字就可以听出来，我妈在上海买的房子最牛，叫路易凯旋宫，把法国好几代贵族都给捎上了，其实到现在为止，这路易凯旋宫还是一工地。反正我想如果雕华表的、造新华门的、路易不管十几、就连那做棺材的，要是知道这些事都得在坟里打好几个滚。

中国的文化人真傻叉，这商人折腾什么文化，他们还就真写什么。我经常听诸如此类的问题：

“谈一下地产文化吧。”一个书生气十足的女记者会问。

“你说一下对汽车文化的感受。”一个油头粉面的主持人自豪地说。

“现在的地产文化、汽车文化是不是就是时尚文化？”一个穿着假名牌、戴着墨镜、嚼着口香糖、把一只录音笔伸在你的鼻子下面。

还有无休止的研讨会，居然来回讨论这些题目。如果你去发言，说那地产不就是房子吗？那车不就是交通工具吗？所有人都会笑话你：真没文化。

我突然想起来我前两天看的一个美国大片，故事是两个科学家，一个认真工作，另一个投机取巧，而后者非常成功地发明了一种叫“Vapoorizer”的东西，喷一下，狗屎就蒸发了。由于美国法律要求所有遛狗的人捡狗屎，不然要罚款，所以这个 Vapporizer 卖得特别好。这虽然是个故事，可我倒是想我应该看看能不能真的把这东西研究出来。现在中国养狗的人也比较多了，早晚要有法律规定出来，不如抢先一步，占领市场，然后我可以再加上点文化概念，这岂不就是狗屎文化了嘛！

上流社会，下流车

一年以前我买了一辆鲜黄色的小POLO，公司里一个酷爱名牌的小孩给我提意见，认为我开这么一辆小车给公司丢脸。我却以为车就是交通工具，太讲究了反而累赘，开着怕蹭了，停下怕剐了。再说，我虽然不穷，但也没富裕到眼都不眨，就能花个几十万买辆豪华车的地步。

还不到一周，这“名牌小孩”的话就在一家豪华餐厅门口得到了印证。餐厅在北京很有名，据说都是有身份的人在这里请客，门口的服务周到，有“代客泊车”一项。我到饭店门口的时候，前面有一辆BMW，车主明显是常客，只见门童半鞠躬地替车主开门，轻声地说了声：“X总，您来了。”车主没有回答，看都没看门童，拿着车钥匙的手一松，门童立刻伸手接住，就这样，在没有任何皮肤接触的情况下，“代客泊车”完成了。等我把车开到门口时，门童没给我开门，反而敲了敲我的玻璃让我开车窗，然后他不太客气地问道：

“是来吃饭吗？”

郑板桥说“难得糊涂”那一瞬间
肯定是他一辈子最清醒的时刻。

——《难得糊涂》

我真的做作业了，可是上学的路上一个又高又凶的同学把我的书包给抢走了…
2003.5.3.

我点点头。

“那就下来吧。”

“你能帮我停车，是吗？”我停车技术相当差。

“嗯，不收你钱，”门童看都不看我一眼地说，“车钥匙放车里就行了。”

这天请客的是一位英国上流社会的夫人，可能还有个什么爵位。这夫人是个大闷棍，可以没有语调地自说自话一个多钟头，特别是关于英国上流社会的花园，只要你问一句：请问花园里面到底应该种什么样的月季，她就开始滔滔不绝、平声调地演说。你可以闷头吃饭、上厕所、甚至找个漂亮服务生在卫生间做爱，把这些动作都完成后回到座位上，保你她还在说她花园里的月季。我发现这个毛病在上流社会很普遍。上流社会的人比较喜欢听自己说话，他们都在跟自己的声音和身份热恋着。

上流社会在世界各国，包括中国是存在的，但是我想应该还是上流的思想，上流的艺术，上流的交谈，并不只是上流的物质。但是我懂个屁，我这个开下流车的人。

为了替所有开经济实惠型小车的人出口恶气，我说个下流笑话跟大家分享：

在森林里，大象和老鼠是好朋友。有一天，雨过天晴，他们一起出去散步，一边走，一边聊天，谈论森林里面的大事。突然，小老鼠不见了。

“你去哪儿啦？”大象问。

“救救我，”小老鼠声嘶力竭地喊道，“我掉泥坑里了！”

大象赶紧回头，发现小老鼠果真掉进了一个很深的泥坑。

大象马上把大鼻子伸进泥坑，不够长，没办法，大象只好抖擞一下，把他的大鸡鸡伸进泥坑，小老鼠顺着大象的大鸡鸡爬上来，得救了。

再走了一会，大象不见了。

“大象，你去哪儿了？”小老鼠喊道。

“救救我，”大象说，“我也掉泥坑里面了。”

小老鼠赶紧回头，发现果然大象掉进了一个更深的泥坑。

“我有什么办法，”小老鼠说，“我就是个小老鼠！”

“救救我吧。”大象恳求道。

小老鼠只好狂奔回家，打开车库，开着一辆奔驰到泥坑旁边，用一根绳子套住大象的脖子，另一头拴在奔驰车上，狠狠一脚油门，没戏，大象太重了。小老鼠只好又回家，把ＢＭＷ开出来，又试了一下，还是没戏。最后，小老鼠只好把最心爱的劳斯莱斯开出来，使出吃奶的劲儿给了一脚油，大象终于被拉出来了。

这个故事的寓意是：鸡鸡大，就不用买豪华车。

倒霉的达·芬奇

小说《达·芬奇密码》在全世界卖了六千万册，在电影出笼的时候，整个基督教，特别是天主教都开始号召罢看这个电影，其原因是因为故事主要线索是根据达·芬奇所留下来的“密码”，寻找耶稣的后人，也就是说耶稣曾经结过婚，还生过孩子。刚开始，教会没有把这种东西太当回事情，像《达·芬奇密码》这样的小说是通俗小说，就是娱乐，这类电影叫惊险片，也就是看个热闹。可是慢慢发现事情不是这样，比如书里面的杀人犯Silas，是天主教中一个教派的忠实教徒，这个叫Opus Dei（上帝使命）的教派在忏悔的时候要让自己皮肉受点苦，也的确在纽约莱逊顿大道上有一栋楼，这让大家觉得也许这个惊险片里面的故事似乎不完全是虚构，至少有点捕风捉影。这时候想想，很多人都把这事情当真了。

电影公司是要赚钱的，谁也不想得罪，所以，当索尼意识到这电影可能会得罪人的时候就立刻行动起来，请了很多人专门帮好莱坞摆平这件事。但这些人不仅没有摆平这件事，还激起了更大的反弹，这一下，事情就闹大了。

索尼公司还是够聪明，这时候他们干脆将计就计，在电视上推出广告，标榜这部影片为“我们这个时代最有争议的惊险片”。这个广告还挺灵，把大家的好奇心全勾出来了，好歹想看看。而就连那个叫“上帝使命”的教派，也乘机出来为自己做辩护。这个教派的发言人首先承认在书和电影发行之后，要求入教的人比以前多了，但是，他们并不欢迎只是对抽自己感兴趣的那种人。

不管是布朗，还是索尼，还有那个“上帝使命”教派，都沸沸扬扬地炒了一圈，虽然互相打架，但是实际上似乎是个“赢、赢、赢”战略，大家的知名度都又提高一圈。最倒霉的是达·芬奇，名字给别人用成这样，画也被来回解剖了，一分也没收上来。实际上我们应该查一查谁是达·芬奇的后人，耶稣的事先放一边再说，至少达·芬奇的后人能收上点钱来。

谁赖谁赖谁赖谁

听说又要有艺人上街游行抗议狗仔队不仁不义了，又是偷拍了一位女明星比较暴露的照片，又上了封面，估计又狠狠地卖了一把杂志，赚了一把钱。

这件事情放在饭桌上报纸上电视上网络上议论，大家都一致谴责：狗仔队都是一帮丧尽良心的疯子，媒体都是毫无原则的奸商，为了一点发行量（也许是为了好多发行量）居然如此没有道德底线。艺人们都愤怒了，上街了，所以第一轮的谁赖谁肯定是艺人赖狗仔和娱记。

前两天在许戈辉的节目上作嘉宾，碰到中国最有名的娱记王小鱼。根据好莱坞电影里面的描述，狗仔队都是一群啤酒肚子大胡子铁了心肠要害人的过期中年男人，谁知道这个小伙子阳光得很，也挺幽默，没有任何典型狗仔队的痕迹。他乐呵呵地说，当娱记就是他的职业理想，他是以百姓娱乐为职业终极目标。许戈辉问他有没有当战地记者的追求，他坦诚地回答道："我胆小，还是当娱记吧。"这个小伙子曾经冒充是建筑师拍到王菲的大宅子，假装是娘家人闯入了章子怡哥哥的婚礼。他说他不是为了钱，因为他是专职的，照片没有出售，全给了报社了。但是他有道德底线的，不真实的不报，伤害人的不报。娱记们肯定认为这是工作职责，就是登出来也不能赖记者。还不是媒体老板想赚钱？

我是办媒体的，我在想，如果我是八卦杂志的老板我肯定说，这事不赖我，我是个经济动物，被利益驱动，什么卖得好我就得登什么。谁叫大众爱看这种乱七八糟的东西，我卖不出去杂志怎么养家糊口？所以这些事情都赖市场水平不高，如果老百姓都爱读社论就没这种事情了。

但是这种事情休想让老百姓买账。我们都一致谴责，但是刊物还是要放在马桶边上一看眼的。从某种意义上，大家嘴上说的跟心里想的不一致，就这类事情最能带出我们幸灾乐祸的缺点，我们的虚伪在于我们真的特别希望看到活得比我们好的人活受罪。

大概这就是艺人媒体老百姓之间一个绕着圈的孽债，只要没有人出来说这事情我负责，还会有很多光屁股艺人上八卦封面的。

当代寓言

从前，在北京皇城根的一个大杂院里有一个美丽聪明的姑娘，她家的门口是一个垃圾堆，每天傍晚，她都能听到垃圾车欢乐地唱着《十五的月亮》。姑娘漂亮得让人不敢看，她有妖娆的身材，滑嫩的肌肤和一双会说话的眼睛。姑娘的父母是有钱人家的服务人员，早出晚归。姑娘有时候也去帮忙，她洗过水晶酒杯，烫过缎子床单，知道冰水里要加柠檬。每天当垃圾车路过她家门口的时候，她暗自发誓，她一定要走出这个贫民环境。

高中毕业后，姑娘就开始在有钱人多的地方活动。她给自己编了一套又一套的小故事，时而她是书香门第，时而是音乐世家，有时候还是将军的侄外孙女。姑娘还学了几件乐器，又学了点画，经常以音乐学院的学生、艺术院校的进修生或者新生代女作家自居。

姑娘还是年轻浪漫，混了不久就找到了一位用法文接手机的小伙子。他说他是画家，在巴黎有大收藏家买他的画。小伙子一表人才，说着一口流利的法文。可是姑娘是聪明的，她发现别人请客时小伙子总是点法国香槟，而该他付钱的时候小伙子就叫一些酒吧里没有的酒，笑话一下老板没有文化，不识货，然后要一杯有柠檬片的冰水。姑娘知道他不是最有钱，但是她真的爱上了他。两个人一起住了不到一年，小伙子就走了，原来巴黎的收藏家是他的同性恋情人，一旦发现他和姑娘在一起，买画的预付金就没有了。小伙子只好又找到了一个中年女演员，去和她一起拍电视剧。走之前，他送给姑娘几句话："生活是艺术，艺术不是生活"；"永远是暂时的，只有暂时才是永远的"；他还说，"爱情不是最重要的"。

姑娘刚开始哭得死去活来。她把自己关在房间里。她想不开，那个老女人哪里比她好，本来她和小伙子怎么可以对未来这么没有信心，而她，只是对过去没有信心。但是小伙子说得对，她的悲伤只是暂时的。分手的时候，小伙子给姑娘介绍了一个四十几岁的法国情人。刚开始姑娘不习惯，后来倒觉得蛮有意思的。法国人有老婆，所以不会占有她全部的时间。她还有自己的空间，看书，画画，给自己编个新故事。法国人回国了，美国人来了；律师走了，会计来了。唯一不变的是他们都是有妇之夫，都四五十岁，都有孩子，有个小小的啤酒肚子。姑娘不收钱，但是这些男人都愿意给她买所有她想要的东西，带她去周游世界各地，因为姑娘给他们的东西太珍贵了，她给了他们青春的幻觉。

一晃四五年过去了。姑娘开了自己的小咖啡馆，里面都是她最喜欢的东西，她的爸爸妈妈辞去了正式工作，假装是她的工作人员。由于他们有上好的训练，所以小咖啡馆能够招揽来全城的佼佼者。姑娘的生意越做越好，一天的流水上万，再加上姑娘很会偷税漏税，收入

王原
2003.5.11.
我的梦想…是长大后…当一名
出色的铺地板工…
第四小学
我的梦想

王原
2002.5.18
放在这个角成吗？
电器送货
TV

相当可观；而小伙子还是徘徊在法国香槟和柠檬冰水之间。

终于，在一个寒冷的冬天，一个投资银行家爱上了姑娘。他愿意抛弃一切，妻子、孩子和他长年积累的财产的一半。他真的是个将军的侄外孙儿，哈佛大学商学院的毕业生，一个名副其实的雅皮。为了讨姑娘的惊喜，他把纽约两百万美金的房子给了前妻和孩子，辞去了工作，自己一个人在一个暴风雪的夜晚搬回了北京。他说他要和姑娘一起开公司，让姑娘把小咖啡馆做成连锁店，一年之内国内的店比星巴克还多，两年之内在欧美开店，三年之内上市。这将是他们两个人的事业。

姑娘连想都没想就把他赶走了。走的时候送给他几句话：*“永远是暂时的，只有暂时是永远的”，“爱情根本不重要”，“生活是艺术，不是上市公司”。*

陈娘子

陈娘子是我原来用过的一个秘书小姐，长得秀丽，长长的黑发直垂柳腰，一说外语就细声细气。

两年前，我一个外国朋友的丈夫在47岁时弃商从艺，来北京体验生活，借住我家。由于公事繁忙，我只得每天付250元人民币的导游费给陈娘子，求她牺牲自己的周末，伴同画家游览。

头一个周末他们上了长城。画家兴致勃勃，说长城不错，陈娘子更是友善，随他爬上爬下，累得小脸通红，一句怨言没有。为了减轻小娘子的疲劳，画家拉着她的手，娘子还表示有些不好意思。第二天在办公室，我立刻把陈娘子的导游费增加50元，并婉转地暗示，如果画家有任何出轨行为，她可以随时停止导游，并严辞拒绝。娘子笑了笑，说了一声“没事儿”。

第二个周末他们去了北京郊区的十渡，回来得很晚。第二天在办公室，陈娘子问我，如果她一周有三个小时在白天给画家当模特儿，我会不会介意。据说因为画家对娘子的头发情有独钟，我一点没多心，很轻率地同意了——我没有意识到我要好的女友会为此半年不理睬我。

到了第五个周末，画家要求和我单独谈谈。他大功告成，完成了他计划在中国要做的事，并首次提出请我看他在中国期间所创作的几幅精品。酒足饭饱之后，画家推出了两张用红丝绸蒙盖的油画，他大臂一挥，用了一个很夸张的动作将两块红绸拉下，显示出两张人体画：一张是陈娘子的乳房，另一张是陈娘子的屁股。我没有看见预料中的很多毛发，就是有，大概也不是长在脑袋上的。

画家说他已经爱上陈娘子，并将立刻回家与我的朋友离婚，再回北京娶陈娘子为妻。第二天，一到办公室就发现桌上放着陈娘子的辞职信，信中说她永远不会忘记我给她的机会，并将导游费一分不少地退给我，说："这钱我收下不合适。"

这件事当时的确使我很恼火。一来我要开始找秘书，二来我如何向我的好友、画家夫人交代？！

陈娘子的所作所为使我大为不快，但冷静下来，倒是想到：其一，像陈娘子这样出身平凡而又不甘平凡，死活要改变自己社会地位的女子，寻找的是一种社会出路。她的寻找方式没有采用暴力，而是用通婚手段，这并没有什么过分。其二，引申看，这也可以说是让第三世界分享发达国家财富的一种方式。如果第一世界的每一个人都找一个第三世界的配偶，那也许就不需要世界银行这样的官僚机构来平衡地球上的南北关系了。

近距离接触奸商

前些日子看见一条消息，说加拿大人很可能要把赖昌星给押送回来了。又过了几个星期，看见北京市一个副市长因为做事、生活都不检点，被罢了官。我突然想起九十年代初我曾经认识的一个大奸商，这个人后来就失踪了。我那时候咬着牙跟他做买卖，忍辱负重的，可当过一阵子使唤丫头了。

大奸商当时是一家进出口公司的处长，手里掌握着几家国企的买卖，一堆国际贸易公司都巴结他。对商人来讲，找到一个贪官污吏就跟天上掉馅饼一样，可以忘了竞争，忘了市场。你有了一把核保护伞，比赛还没有开始，你已经偷偷拿到终极 PK 的冠军。不是所有商人都有这本事的，如果做奸商不是一种艺术，它至少也是一门学问。我是被那倒霉的美国商业道德教唆得根本没有这种素质，曾经两次企图贿赂人都彻底失败。一次是为了租房子，领着两瓶茅台去找人，跟人家推来推去，结果“啪啦”一声，茅台打碎在地，擦地板了，那房子当然就彻底没戏了。第二次是为了审批电影，领着速溶咖啡两瓶去电影局，直接被人家哄出来了。所以我当时在贸易公司里面是有名的“不会办事”。

但是大奸商却发现了我的特长。虽然我不是他能够相信要回扣的那种人，但是他还是找到非常重要的一件事，让我发挥我的优势，派上用场。

“我有个女朋友，”他说，“别告我老婆，你见见，帮我给她办美国去。”

过了几天女朋友来了，高高个子，长长的头发，魔鬼身材，就是这脸画得跟唱戏的差不多，能把死人吓活了。

“这洪晃，”大奸商介绍说，“英文特别好，哎，全国前五名该有你吧？”

“你懂什么呀，你，”花脸情人说，“你多讨厌啊，你。”

“什么我懂什么？我不懂我认识懂的呀。”大奸商说，“你懂个屁，你就认识我。”

我想了想，他这话也不是完全没有道理。

“快点，”大奸商说着手已经开始拉花脸情人的包，“把你花了我一万块钱买的驾驶证给洪晃看看，那上面的鸟语都说的是些什么。”

花脸狠狠地把包从大奸商手里拽回来，自己打开，拿出一张黄了吧唧的小本，递给我的时候还小声说了句谢谢。

我一看就笑了。这是个非洲国家的驾驶证，但是上面写着“除了在本国内不允许驾车，在全世界任何其他国家都可以驾车。”

“肯定是假的，”我说，“哪有这样的驾驶证。”

大奸商一听没发火，反而笑了。

“你看，”他得意地跟花脸情人说，“没我你什么事都办不成。”然后搂着她的小腰，笑眯眯地对我说：“那单氧化铝就归你做啦。你把合同整出来，今儿晚上交给我助手，明儿我就给你开信用证。”

我心花怒放。虽然我在办公室等到十点就为了翻译一个假非洲驾驶证，但是我毕竟做了一单生意。

“行，谢谢您啦，您放心。”我感激地说，并且把这一对送到电梯口。在电梯门就要关闭的时刻，大奸商说了一句：“我跟我老婆说我在你这儿连夜赶合同哪啊，你别给我说差了！”

由于我不会给回扣，做黑账，所以大奸商给我分配的工作就是给他和花脸情人打掩护。他俩出去玩是跟我出国考察；他俩吃饭是跟我谈业务；他俩开房是我召开的研讨会。每次我看见他那浑身名牌的老婆，心里就无比内疚。虽然我对这里面的哪个人都没多少好感，但是我知道我也挺卑鄙的，为了几单生意，给人干这种下贱活。

大约半年以后，我居然真的把花脸情人去美国这件事情搞定了。大奸商非常高兴，那一个月给了我好几单大买卖做。花脸情人走的前一天大奸商当然跟他老婆说是在跟我做期货，需要盯市场，所以得在我办公室里面耗着。他撒这个谎的时候我最倒霉。因为他老婆十点多钟肯定给办公室打个电话，只要我在她也不要求大奸商接电话，所以我每次都得吃完饭，回办公室等大奸商老婆的电话。这天晚上也不例外，我一个人在办公室无聊。

突然，有人疯狂地拍我们玻璃门，我急忙跑出去，发现是大奸商。

“开门！你他妈快开门！”他脸红得发紫，显然已经喝了不少酒。

我赶紧把门开开，“出什么事了？”我问。

"我他妈才发现，这小没良心的在美国八成有个男朋友。"他一屁股坐沙发上，喘着粗气说。"丫他妈敢骗我，"他气急败坏地说，"你把她美国签证全给废了，你。"

"这事我可办不成，"我说，"你好好跟她谈谈。"

他安静了一会儿，然后说，"你给她打电话。"

"我？"我吃惊地问，"我能跟她说什么？"

"我他妈刚才骂她是婊子来着，她现在不接我电话。"

"那好吧，"我说，"我来打，你把号码给我。"

我拨通了电话，递给大奸商。他一把抓过话筒，然后使出吃奶的劲儿，喉道："我X你妈！"然后一屁股瘫在沙发里，抱着脑袋呜呜地哭起来。我听见话筒里面也是一片尖叫、哭声和骂声。我真是不知所措，挂上也不是，不挂上也不是。

"怎么办？"我问大奸商。他一边擦鼻涕一边说："你说，你已经把她签证吊销了，她不能去找她那王八蛋。"

"这没用，"我说，"你还是好好跟她说说吧。"

大奸商站起来，镇定了一下，问我："英文X你妈怎么说？"

"F**k You，"我说。

"F**k You？"大奸商说，"这太好记了。"说完了，就把电话一把从我手里抢过来说："F**k You！我也会说英文，他又什么了不起的，不就一破研究生嘛。"

说完了又把电话扔给我。我立刻听见电话里面花脸情人大声说："F**kYou？你做梦吧你！你不就那点臭钱嘛，我再不F**k You啦，我X你妈！"

“你别说了行吗？到我办公室来跟他好好谈谈。”我实在听不下去了，说，“我不能吊销你那签证，他也能把你那机票给退了。你别闹了，过来，有话好好说。”

她把电话挂了，我也不知道她会不会过来。大奸商又走过来，“怎么着了？”他问，“她怎么说？”

“反正F**K You是没戏了，”我没好气地说，“你也只能X她妈了。”

“嘿，你也跟我来劲，”他情绪缓过来了，开始恢复他平常耀武扬威的模样。

“你们俩怎么认识的？”我问。我想，干了这么长时间的奸商马弁，总得把故事的来龙去脉搞清楚。

“她原来是我们那儿扫厕所的。”大奸商叹口气，点了根烟，开始给我讲故事。

其实，这故事再简单不过。这女孩是东北人，楼里物业雇来的清洁工。大奸商有一次喝得烂醉倒在办公室，这女孩以为他出事了，把他送医院去了，这以后就是顺坡溜了。大奸商把她聘用在进出口公司作助理。后来有点显眼，又把她从公司里弄出来，让她在另一家贸易公司里面做前台，还在一个酒店公寓里住下，彻底被大奸商包下。我观察大奸商对花脸情人的态度，有点像主人对一条爱犬，除了和她玩以外，还经常检查一下她的包，看看里面有没有别的男人的迹象。今天就是被他搜查出来一个原来他们公司里面的小伙子给花脸情人的信，显然两个人已经有了一段时间的通信往来，因为小伙子说要去机场接花脸情人。

“是情书吗？”我问。

好人也分两类：

一类好人比较知足，找个好人一起过安稳日子；

另一类好人有点每头脑，专找坏人，为自己的平淡填补色彩。

——《坏人娶亲》

这根本不是换不换地方的问题！这是原则问题！
王原
2002.4.25

“不是，”大奸商非常肯定地说，“那小子不敢。”

“那你怎么肯定人家是那种关系？”

“那他妈还用说吗，你看看那女的多他妈贱。”

我差点说也是，还好这时候大门外面花脸情人出现了。我把门打开，大奸商和花脸情人都互相凝视了一阵子，不说话。

“你们俩去大会议室里面好好谈谈吧。”我说，“我在外面干点活儿。”

两个人非常听话地进去了，我把门关上，坐在我们前台的位置上，在电脑上翻扑克牌。过了大概半个钟头，大奸商和花脸情人出来了，手拉着手，没事儿了。

“我们走了，”大奸商似乎没有发生任何事情似的，大摇大摆出了门，到了电梯门口，他说，“就说我在你这儿盯着市场哪，别忘了。”

花脸情人离开不久，大奸商就失踪了，有人说他弄了本洪都拉斯的护照移民了，也有人说他去找花脸情人了。好多人都这么说：*在中国发财致富，绝对撑死胆大的，饿死胆小的。*希望政府再多做点这种净化商业环境的事情，让大家胆子小一点好，净化网络倒可以放放再说。

特殊人才使用说明

我在猎头公司做事的时候经常看到客户要求我们帮他们寻找符合以下规格的人才：上好的人品和职业道德，优秀的专业知识，强烈的团队意识和（与前者完全相反的）个人奋斗精神。

我每次都是打着灯笼满世界找这种人，经过多年反思，虽然已经不做猎头了，还是要推荐两种特殊人才，让找人的CEO们意识到，人无完人，只要用人之长，避人之短就行了。

类别：靓女

规格一般都在1.68米以上，看的书少一些，用的化妆品多一些，说话的声音柔一些，穿的裙子短一些。

靓女的问题在于功能最好不要在内部使用。如果用靓女做任何公司内部管理都是风险比较大的，特别是对中年男性CEO之类的管理人员，更要格外小心。比如使用靓女为总经理秘书或助手，其“靓”就会攻内不攻外，经常在公司内部引起纠纷，给公司带来损失。有的私人老板在用了靓女秘书之后，众叛亲离，最后只好娶了靓女，丢了半壁江山。

靓女的使用寿命非常短，如果在财务报表上呈现靓女的价值肯定是在低质量耗材一栏中。

类别：搅屎棍

规格：长不到1.60米，基本上是圆形的，话特别多，闲事管得特别多，零食吃得特别多，厕所里聊得特别长。

使用方法：搅屎棍是煽动力和沟通能力非常强的人，喜欢在办公室里搞点政治，CEO可以有限使用。搅屎棍的信息非常多，是个一流的包打听。谁在偷偷上人才网，谁说了对公司不满的话，连谁吃什么避孕药她都知道。搅屎棍对刚刚上任的新老板就有用。

搅屎棍的问题有两个，一是她提供的信息质量很低，大部分是道听途说，甚至自己瞎编的，这类信息只有参考价值；二是如果管理人员不能有效地使用搅屎棍，她会因此煽动雇员闹革命，充当工会主席的角色，这也是非常烦人的。

搅屎棍用完了就一定要扔掉，不能留。有经验的高级管理人员不会在自己公司里雇佣搅屎棍，他们会请外面的搅屎棍，这些人的学名叫管理咨询人员。他们到一个公司，上上下下打听个遍，谁跟谁跟谁跟谁，都弄得非常清楚。然后把工作报告（就是小报告）给新上任的CEO，再出点鬼点子，就完事走人了。

以公司为床

前两天和"绿骨头的马"在MSN上聊到我们俩各自办公室的绯闻。她在清华附近一个科学家满堂的实验室里面工作，这一屋子人里面有美女，有正统的老博士，还有憋出青春痘的小师弟，尽管这样，也没什么任何绯闻，都是正经人。

我再想一下我二十多年来的白领生涯，发现没碰到几个正经人，到哪儿，哪儿有绯闻。

我的第一份工作是在美国友邦保险公司和人保在纽约的合资公司里面当打字员。我记得我头一天上班的时候，真是满脑袋理想、浑身是劲儿，一肚子麦当劳早餐跨进了办公大楼。到了公司就被放在一个电动打字机后面，天天打几百元的防火、防盗、防意外保险合同，不到一个月，脑袋里的理想和浑身的劲儿都消失了，只有麦当劳早餐像个铁饼一样坐在胃里。和我几乎同时进公司的还有一个美女，她的工资跟我一样，但是工作比我的强多了。我们的老板是台湾人，有军人情结，让我们都叫他"船长"。和我一起进公司的美女就天天和船长一起陪客户吃饭。我们每天坐地铁，她可以“打的”报销。公司里当然传美女和船长的绯闻，而且有鼻子有眼，说船长的老婆是船长的船长，他只能在办公室跟美女做爱，于是乎大家乱猜到底哪张办公桌是他们的床。过了不久，船长被开除了，美女辞职结婚了，新郎是船长的上司，而至于船长和美女是否有染，谁也说不清楚。

我当了三个月打字员之后就跳槽到了一家咨询公司。这家咨询公司全是女的，有“娘子军”的称号。我们这支娘子军可都是大红人，客户全是“财富500强”的大老板，我们天天陪着他们在中国见重要人物，我的感觉立刻好起来。那保险公司的美女算狗屁，你看看我，天天陪着大老板，他坐头等舱，我也能混个公务吧，比美女牛多了。现在回顾一下，我们当时的工作实际上是旅行社、翻译公司和三陪小姐的综合服务。比我还丑的（只有一个）负责旅行社业务，我负责翻译公司的业务，其他的漂亮人一律三陪，首当其冲的当然是我们的“娘子军连长”，女老板本人。有一次我们最大的客户带着老婆一起来北京见高官，老板要我使调虎离山，把客户老板的老婆骗西安看兵马俑去，我不干，理由是我负责翻译，陪谁我都不干。谁知道这老婆巨凶，早有耳闻我的老板跟她的老公的关系，居然在我们宴请高官的时候用名牌包狠狠地抡向我老板的大鼻粱，把她新买的高级灰 Armani 西装弄得全是鲜红的血点。

从那儿出来我就想找个真正做业务的公司，天天签合同、追钱，不跟这些乱七八糟的事情有任何瓜葛，所以就进了个贸易公司。刚开始还比较肃静，后来又出事了，而且差点把我开了。我的助手睡了我的老板，一个哈佛大学的MBA、有妇之夫。我的中方客户告诉我她已经跟他们说别跟我联系，直接找她，因为早晚她会让我扫地出门的。我气疯了，狠狠地在德国大老板那里告了他们一状，什么都说了。这两个人也不会搞阴谋，偷偷去美国度蜜月，撒谎说奶奶死了。结果他爸爸打电话去总部，是大老板接的电话，上来马上说了几句“节哀、节哀”的客气话，弄得他爸一头雾水，只好问谁死了。大老板说，不是你妈死了吗？他爸脱口而出：“都死了五年了！”就这么着，我才没失业。

从那儿出来以后和几个老实朋友一起做公司，真的安静了，除了我自己生活不太老实，公司里面真是挺绯闻-free的。六年前开始做杂志，不得了，发现比我小的孩子真的把公司当床。我算了一下，我们公司内部绯闻从成立以来到现在至少有十几起，而当老板的问题是：你永远是最后一个知道。比如去年年底，我们公司两个员工好了，我基本上是拿到喜糖和带有新郎、新娘裸体照片的喜宴邀请才知道这回事情。

有个说法，员工谈恋爱是好事情，老在公司待着，以公司为家。我想了想，这说法有问题，实际上大家是“以公司为床”，家还是有自己的家，就是把家里办不了的事情，拿到公司来办了。我实际上早就认识到资本家是对的，这对经营一点好处都没有，最好的状况是“绿骨头马”的实验室，有性张力，但是没有性生活。

这篇文章写到这儿觉得该收了，但是又找不到舒服的字句，正好“肥肥乐”上了网，跟她聊了几句，说我有writer’s block，不知如何收尾，她说：那你自己有没有办公室绯闻啊？一句话问得我后背发凉，立刻收笔，这话题真不能再往下写了。

改版 iLOOK

这几天忙着iLOOK改版的事情,博客都顾不得了。后来一想,这不是个网络日记嘛，就忙啥写啥吧。

小雪离开的事情已经在小小的时尚圈里传出五个版本了。第一个是我开了她，她挥泪而去；第二个是她去了《瑞丽》；第三个是她去的《ELLE》；第四个是她自己开公关公司了；第五个是她生孩子去了。《ELLE》挖她去当主编确有其事。小雪被大刊物挖走是我做了一年的噩梦，若最后终于发生，倒也算是一种解脱。

几个月前，我们做了一大圈读者调查，其中一个问题是辨别刊物风格。我们把时尚类女性刊物的内页全贴在一块大板子上面，然后拿胶布把任何有刊物名称的地方遮盖掉，让读者辨认这些文章是哪本刊物中的。结果只有《瑞丽》还认得出来，其他的一概张冠李戴，基本上大同小异。我立刻有一种要休克的感觉。人家都是国际大户人家的中国养女，不管怎么样是名牌刊物，我们是本土的，没有国际名牌撑腰，没有海外版大片作门面，如果做不出点风格来，那就死定了。

看了所有调查结果，我对所有时尚类刊物有二大困惑：

一、编辑拥有奢侈品的数量和创作能力是不是成正比？

我有一个朋友是法国做马具的，他曾经送我一整套骑马的行头，就连我这模样的，穿上也立刻有了贵族气质，感觉非常好，朋友们也都“woooo”，“ahhhhhh”一番，夸奖我的行头如何漂亮、到位，我的感觉好极了。可上了马背，这马却一点都不想恭维我。我一坐上去它就知道我是个非专业，死活不走，冲着马场主人摇头，意思是说这人看上去专业，可是连坐的姿势都不成样子啊！把广告客户和读者比喻成马似乎有点不尊重，但是我真觉得不管我们的模样多么像时尚酷酷人，我们有几斤几两，他们心里很清楚。

二、我们是卖纸的吗？

自从开了博客，我更加清楚地认识到网络的厉害，怪不得所有做纸媒体的人都心惊胆战，从速度、全面性和发行效率上来对比，纸媒体只好甘拜下风。前两天碰到田朔宁，我问他对纸媒体的看法，以为他会说，玩去吧，等有了3G你们更得去喝西北风，可是他却说，大有可为，因为你们有内容，内容为王嘛。时尚类刊物现在越来越厚，但是内容却没有什么新鲜的，让我怀疑我们是不是卖纸的。

改版是冒险，但也是机会——做一本有中国态度的时尚类刊物的机会。我、张大川和编辑部的同事们商量了一下，决定把我们改版的体验都放在网上，开一个群博，把我们的想法跟大家说说，希望大家多给我们提意见，参与我们的活动，互动一下，总比在小圈子里自己逗自己玩要好。

任何抽象的东西都可以称作为“献身”；
而任何实用的东西却只能称为“卖身”。

——《献身还是卖身》

跟你说了抓紧！
王原
2002.10.12

擦边球

我痛恨各种竞赛。从小我什么都没赢过，一听比赛我就躲，如果有破罐破摔比赛我说不定能赢。小时候四百米我“跑”了四分钟——走下来的。

所以世界杯我是不会看的。如果我想看一群失去理智的男女画着鬼脸到处嚷嚷，我可以看恐怖片；要想看肌肉男，有东方卫视的什么“家有好男儿”(但是听说这节目里面评出来的男人都比较女，所以可能还不如看白岩松、崔永元什么的)；要想半夜不睡觉喝啤酒，我家老头随时愿意，而且也不用四年才一次。

但是世界杯到处都是，无孔不入，连我都知道日本人输给澳大利亚人了，而且输挺惨，最后被人进了三个球还是几个。我发现日本人有破罐破摔精神，这跟往常我们心目中的暗自较劲的日本人还是挺不一样的，大概他们也悟出放弃的爽了。

尽管不爱看球也不能不关心世界大事，而球就是世界大事了。有点擦边新闻分享一下，自二零零二年以来，性工作者可以合法地在德国工作，在几个球场周围的公寓已经都被当地著名性工作者包下，还装上望远镜，可以浑身颤抖着还能看球，牛吧？

一类节目，二类媒体

最近和做电视的人接触比较多，学了不少东西，其中包括一些专业用语，比如一类节目和二类节目的区别。所谓一类节目就是内容要求比较高，不允许搀杂商家宣传的节目，而二类节目就是在内容里面可以直接收费做点软性宣传的节目。这里面条条框框还不少，比如一类节目里面不能有商家的地址、电话等等。

听上去好像挺有分寸的，挺能想着观众，不是一脚掉钱眼里面出不来，但是仔细琢磨就有点不对头。就比如你要报道一下北京最好的炸酱面小馆，走七八个地方，让一个小主持人来回吃了十几碗面条，让观众看得直流口水，但是死不告诉你这些馆子在什么地方，他就不怕那爱吃面条的把电视机给摔窗户外面去？

同样的题材到了二类节目里就放开了说商家的好话，什么品位、时尚、特色、个性、豪华、高档次等字眼没完没了的来回用，当然少不了在荧幕下面跑一条联络方式。要我是商家非得吓死，从抽水马桶到高级餐厅，形容词都差不多。

其实所有媒体的编辑都有这毛病，没一个例外的，包括我们自己。一说要提供一点消费信息，编辑都咧嘴，好像有多少好的创作立刻就要被商业取缔了。法国的香奈儿品牌花了几千万美金，请尼可 · 基德曼和电影《红磨坊》的导演一起拍摄了一个广告片，有好多拍摄的片花提供给媒体。有个很牛的编辑说，除非基德曼亲自出马接受采访，一概不予报道，其原因是他们是做一类节目的，而这种东西属于二类。我看过一些片花，跟好莱坞大片一样讲究，和那种几万人民币一集攒出来的时尚类节目的确不一样。我相信中国的观众如果看了还是会觉得挺养眼、挺好看的。

我想好的内容，特别是消费信息，在于其客观性。说实在的，只要收钱就说好话的内容都是不客观的，而只要信息是实事求是，多点实用的内容也没有任何损伤。如果我们不是把自己特别当根葱，而是想想老百姓想看什么，可能就没什么必要分什么一类、二类了。我觉得做媒体的人如果是二类的，节目就是特类的也好不到哪儿去。

斗在 798

我在 798 工厂里面，从去年春天那会儿开始，我们厂门口多了块牌子，上面规定出租车不许进厂区。门口还加了一根木头杠子，看门的小警卫也跟吃了枪药一样，突然变得特别凶了。记得一次天还冷的时候我晚上回家，脚上蹬着一双高跟鞋，想蒙混过关，出租车到了门口我笑眯眯地对警卫说："我住里面，让我进去吧。"

"出租车不让进！"

"天那么冷，让进去吧。"我说。

"出租车不让进！牌子上写着呢！"

"我刚从机场回来，"我撒谎道，"后面有行李。"

小警卫看了我一眼，然后冲着司机说："开后备箱！"

我急了，我的谎言马上要露馅了，我变得恼羞成怒，开始和小警卫吼："我住在这里面，你凭什么跟我们找麻烦？"

小警卫很奇怪地看着我："你跟我问什么，找物业去！"

就这么着，我在今年最冷的晚上被门口的小警卫戳穿谎言，一瘸一拐地从厂门口走了半站地，到家我就发誓要搬走，住一个正常的公寓。

我不用问物业，我知道为什么我们厂区不让进出租车，这是房东和艺术家较劲的结果。刚开始，这儿的物业跟搬进来的艺术家挺好的。第一次较劲是非典的时候，艺术家做了一次活动，大海报贴得到处都是，标题是“重建 798”。据说厂方看见这标题就不干了，认为这些艺术家没权利这么说，798是他们的，没人委托这些房客重建。厂方认为这个地方应该叫“大山子艺术区”。当时我觉得这矛盾挺逗的，艺术家非要用老的工厂番号来表达他们的创新，而工厂非要用“艺术”二字说明这块地方的新生。

从那以后双方就开始来劲了，原来工厂对厂区的“艺术”规划没有了，厂方开始放话要把 798 拆了盖楼，艺术家马上发动了媒体，做了很多宣传，据说还有市里的大领导私访过。从那以后工厂就不再往外租房子了，至少不租给艺术家了。798做了大山子艺术节，工厂说艺术家未办艺术节所需要的批文，所以不能办艺术节，只能在他们现有的空间办展览，同时，在门口支起了“出租车不许入内”的大牌子。这招够狠的，至少对 798 里面的很多餐厅是重大打击，本来人气就不是特别旺，谁会愿意跑大山子，再走半站地去吃顿饭。艺术家也够厉害，把什么外国使节都请过来了，去年秋天法国文化部长来过，后来德国总理也来参加一个画展的开幕式。

双方来回过招几次了，到现在没有结果，也没有意思要坐下来好好谈谈，似乎这种僵持的状况大家已经接受。甚至我觉得双方都很有点与人奋斗，其乐无穷的感觉。我只能无可奈何地把高跟鞋收起来，对警卫的谎言敛起来，两条腿走起来。

关于创意园区的采访问答

Question：今年的4月29日大山子国际艺术节开幕，798艺术区已经被纳入北京的创意产业园中。作为一个以自发聚集形成的创意园区，您觉得798的优势在哪里？

My Answer：798的优势在于它是从事创作产业的人自由结合形成的，不是规划出来的。不知道这是不是能维持。好像大家对规划798越来越感兴趣。

Question：798这样的地方被政府纳入创意产业园当中，您觉得对于身处其中的艺术家来说，会不会受到影响？更多地给他们带来的是创作上的便利还是使创作趋于功利化？

My Answer：政府对所谓"创意产业园"有说法，但是没有具体政策，比如政府将采取哪些措施扶植创意产业，是减免税？还是提供培训？是提供低价经营场所，还是提供补助？总而言之，没有具体政策的发布，很难说当"园区"是好事还是坏事。对于在798里面的人来讲可能这不是个事儿。

Question：目前，北京市文化创意产业集群化发展趋势日益明显，产业聚集效应初步显现，已经形成十大文化创意产业聚集区，八大新文化创意产业聚集区正在规划建设中。面对在北京雨后春笋般建立起来的产业园区，您觉得若干年后，会有一个什么样的状态？你担忧么？担忧在哪里？您欣喜么？为什么欣喜？

My Answer：反正一百多个小年轻，住在北京郊区有罗马柱的建筑物里面，一天三顿方便面，抱着电脑画动漫把眼睛都快画瞎了，这不是我脑子里的创意产业。

Question：在上海，从1998年陈逸飞工作室进入田子坊，1999年建筑设计师刘继东在四行仓库开设设计事务所，到今天上海开始整合资源打造不同主题的文化创意产业集群。在这八年探索实践中，上海也是走过了一个从自发探索、引导支持到主动出击打造这样一个历程，并最终在全国率先打响了文化创意产业这样一个金字招牌。一个艺术家进入仓库本身不稀奇，几十个艺术家聚集在一起我们好奇，但是发现这些艺术家聚在一起并最终把它开辟为文化创意产业园区本身就是一个伟大的创意。如果说，田子坊、m50、四行仓库是自发形成的文化人聚集区，在基本成型后，上海市政府开始有意识地支持与扶持，那么上海时尚园、文化传媒园则是主动引导的结果。您觉得作为文化创意的园区，政府引导的意义在哪里？

My Answer：政府首先要搞清楚创意产业是靠人的脑子，不是资金，土地，权力所能代替的。开发再多的园区，投资再多的人民币，批再大的土地，封无数的官职，没有真正做创作的人，什么也干不成。

Question：在中国，上海和北京是两个职能、个性大不相同的城市。在您眼中，这两个城市在文化创意产业的园区建设的理念和形态上有什么异同呢？这些不同，您觉得是来自于两个城市不同的职能定位呢，还是由于南北方文化以及人群个性的差异，或者还有没有其他的原因？

My Answer：只有白痴才会把创意作为地域概念去理解。好的创作是最有人性的，不要说北京、上海，就是整个地球都会为之感动。

Question：您在国外的经历也非常的丰富，从您的书和博客上都可以体会得到。那么在英国的伦敦、美国的纽约、法国的巴黎……在这些地方，他们的文化创意产业是否也以园区的模式展开？

My Answer：“园区”绝对属于中国人的创意，建议注册一下。

Question：国外的创意产业园区和国内的差别在什么地方呢？您能举个例子来说明一下么？

My Answer：没例子，说不出来。

性一解放，
女人对情人的要求也高了，
好像不能像查特莱夫人那样洒脱了……

——《闭嘴，亲爱的，你是我的都市玉男》

存包处
什么款式的带
黑点的书包？
超市
王原
20030923

花心的男人比不花心的好。理由：

一、至少他喜欢女人，这是质的问题；

二、如果他的花心是量的问题，时间完全可以解决；

三、俗话说，浪子回头金不换。

——《ASK ME(二)》

三、你问我答

NIWENWODA

ASK ME(一)

Question：最近这段时间我发现男朋友和他前任女友一直在密切联系。记得有一次他回家，把电话放在我手里，已经夜里11点了，她打电话过来。我一开始没接，她就一直打，我接了之后她却不说话。后来我问我男朋友，他却只说是一个同学。昨天晚上，我终于在其他地方知道了她就是我猜想中的那个人，就是他的前任女友。之前，他是冒着那个女人要去自杀的风险，硬是跟她分手的。如果他们真的还存在这种暧昧关系，我不可能和他在一起了，但又不希望这是真的。如果这个女人还在纠缠他，我该怎么办？

My Answer：碰到这种问题你首先要决定你是什么样的女人，最好重温一下《红楼梦》。如果你是个王熙凤，就可以给那个要死要活的前任送两瓶安眠药去，要不再加上一根结实点的绳子，也许你的男朋友就会对你刮目相看。知道你狠得下心，以后再也不敢闹"半夜鸡叫"的事情了。如果你是薛宝钗，你就乐呵呵的当着没事，把那前任请回家来玩玩，认个姐姐。你现在这种忧虑的状态好像是奔着林妹妹去了，忍辱负重，扫扫院子，埋埋花儿之类的。王熙凤是跟那个女人作对，薛宝钗是让这个男人为难，林黛玉纯属于跟自己过意不去，你看着办吧。

Question：我是多么相信她，相信她是自己一生的所属。可如今她头也不回地离去，仅留下一个理由：她喜欢上别人了。我不停地挽留，却得到这样的答案：她说两年后给我个机会，而且只有一次机会，我该等她吗？

My Answer：“所属”是什么意思？她又不是你的财产，大活人能“属”来“属”去吗？“属”没了吧！活该！她要你等两年，就是要你“属”给她两年，你也好像不太情愿，怕“属”了半天白“属”一番，是吧。教你一招，你可以口是心非，嘴上说“属”，但是实际上再找找有没有别人。她属于你的时候不就是这么干的嘛，以其人之道还治其人之身。

Question：我最近喜欢上了一个女孩子，她看上去很单纯也很漂亮。前几天我和她用短信聊感情这个话题，她说自己没谈过恋爱。不过从我们聊感情时她使用的语言和措辞，又让我觉得她好像是蛮有经验的。当我说相信她没男朋友时，她又说这不用我相信，吃亏只有自己知道。我不知道她是否在骗我。她是否真的有男朋友？我也很想知道她的那句“吃亏只有自己知道”到底是什么寓意？

My Answer：现如今是人造处女膜时代，你看上去喜欢就可以，什么纯不纯的事情就不要去费脑筋了。至于吃亏这件事情，我倒是有几句话要对你讲，如果你去求爱，她有个男朋友，你吃亏；如果你随便点，就跟她玩玩，她现在的男朋友吃亏；如果她想玩你们两个男人，你们俩谁认真谁吃亏；如果你们两个男人把她玩了，她吃亏她自己知道，对吧。所以她这句话告诉你的就是，不要太认真对她，先玩起来再说。不然，你吃亏只有你自己知道。

ASK ME(二)

Question：男人是不是都很花心？怎样才能验证他对自己是否真心呢？有人告诉我男人花心是因为还没遇见自己心爱的女人，是吗？

My Answer：男人不是都花心，但是花心的男人比不花心的好。理由如下：

一、你至少知道他的确喜欢女人，这是质的问题。我有两个女朋友嫁的男人是同性恋，而且半路出轨，这两个女朋友很惨，一个自杀，一个疯掉。

二、如果他的花心是量的问题，时间完全可以解决，为了加快速度，你可以劝他多抽烟喝酒，不要锻炼身体，体力不好了，他也就是练练嘴皮子。

三、俗话说：浪子回头金不换。一旦花心男人决定不折腾了，他们是非常靠得住的，因为他们已经见多识广，没有那么容易动情动心。

所以，如果你自以为不是个笨女人，还是找个花心的男人吧。

Question：男朋友比我大20岁，是美国人。我以前一直怀疑忘年交，现在却被他深深吸引。但我也面临很大的困扰，他在美国工作，要我大学毕业后就去美国结婚。从感情的角度讲，我很喜欢他，愿意和他结婚，但从其他很多方面，我都不知道这样做是不是正确的选择。如果我嫁给他，以后会后悔吗？我才21岁，23、24岁结婚会不会太早？但是我现在也离不开他，即使他在大洋彼岸，我们每天都坚持网上聊天说早安晚安。我不在，他绝对不碰其他女人。他说过很多山盟海誓，我轻易就相信了，但我的朋友说我太幼稚太好骗了。我该坚持这段不被看好的感情吗？

My Answer：老牛吃嫩草嘛！如果你三十，他五十，没事；你二十，他四十就有点问题。你大学还没毕业，没有什么人生经验，而他总该是有过不少沧桑的人了。建议你还是不要这么着急结婚，总可以再相处一段时间再说。

Question：我的好朋友性格豪放，很open。她一直在主动追求一个男生，而那个男生却喜欢上了我。更糟的是，他还告诉了她，现在真的是尴尬极了，我什么都没做过，她却不再信任我了，我该怎么办？

My Answer：问题不是他们怎么样了，是你喜欢这个男的吗？如果你也喜欢，那你肯定有意识无意识地给他送过秋波；如果你不喜欢，告诉他不就完了。但我的感觉是你其实挺沾沾自喜他选择了你；二是你其实也挺喜欢他，想跟他好的；但是你又不想让你朋友怪你，不想让别人说你比较阴，偷了别人的男人。其实你就是挺阴的，就别装得那么阳光了。

ASK ME(三)

Question：我在电视圈工作将近5年了，最近越发觉得自己已经得了心理ED，在感情上快消磨完了，看见什么样的女孩子都是一样。现在跟别人做爱的时候睁着眼睛都能看见好多以前女朋友的样子，恐怖，每次都草草了事，心里老觉得对不起别人。我竟然不喜欢做爱了，甚至希望以后能找一个性冷淡一点的，可能主要是心理吧。我觉得心理上太乱了。再这样下去我就完了。本人天瓶座，1979年出生。

My Answer：我不知道ED是什么，但是读完你的信觉得你的确病得不轻。有一点我不明白，你干脆不做爱不就完了，让自己安静一会儿，这不会有人逼着你上床吧？电视圈里女的都这么凶？这人上班觉得没劲儿还知道辞职呢，哪有听说强迫自己做爱的。难道你靠这口儿挣钱？

Question：我带着8岁的孩子与前妻离婚了，离婚的主要原因是妻子有一份薪水很高的工作，而她那份工作是我妹妹给找的。由于接触的人不一样了，她自然就变心了，但我最不能接受的是，她离婚竟然不要孩子，可能是想着自己的未来。我从来没有听说过哪个女人会不要自己的孩子，每当孩子望着我说：“爸爸，妈妈是不是不要我了？我的眼泪会禁不住落下来。我是不是应该报复她，或让她失去这份工作？我心里很矛盾。

My Answer：一个女人不要孩子是非常残酷的事情，你最大的责任是保护你的孩子，不要让他／她再受伤害。我特别相信报应，你不用去报复她，放心，她可能在你面前装得无所谓，可是她心里也许非常内疚，而这种感觉最后会把她吞掉。老了她就知道伤心了，你应该带着孩子好好过，往前看。

Question：我和相恋10年的男友分手两年多了。近来听说他要结婚，并且他要娶的就是当年我们分手时的“第三者”。他分手时这个“第三者”还打电话来挑衅说，我们十年的交往像一张涂烂的纸，不能再继续写下去了，而他们是一张白纸，想怎么写就怎么写。当年我很痛苦，现在我自己感觉已经走出来了，可听到他们结婚的消息，心里有说不出的感觉。我应该怎样去看待这件事？

My Answer：你的感觉很正常，建议你把前男友捏个小泥人，拿小针儿乱扎，好好出口气，大不了再找几个贴心女友哭一鼻子，这事就过去了。有时候你就是需要发泄一下，跟排毒养颜一样

維修中
2001.5.1

服务员！球用完了！
2003.2.26

ASK ME(四)

Question：对一个男人来说结婚仅是一种责任吗？我与女友相恋四年了，她说想结婚我感觉是应该的，但现在我一想到结婚这个问题就感觉很无奈。不是我不想负责，可总感觉婚姻中没有什么我想盼望的东西。这种感觉很怪，我不知道自己是否爱她，也不知应该怎样做？

My Answer：我能把你说的话刻在一小木版上，让所有女人都挂在厨房，时刻提醒自己：不知道什么时候，跟你睡在一个被窝的男人已经不爱你，至少不知道爱不爱你，但是他就是不放你走，一直到他找到能代替你的人。别这样，她想结婚，如果你不愿意，最大气的事情就是让她离开你，找愿意娶她的男人去。社会对女人很现实，跟你过了四年已经是很长的时间了，如果你不娶她也不告诉她，这真是太不公平了。

Question：有一个人很会讨人欢心，虽然心里清楚他其实在骗我；还有一个人也在很努力地讨我开心，我相信这个人是可靠的，尽管不喜欢，但我会装作很开心。现在这两个人都表示希望我做他们的女友，选择谁？

My Answer：女孩子只要问“该选谁”，就说明她其实哪个都不太中意。好女孩就会寂寞地等待真爱；而坏女孩会兴高采烈地跟不中意的男人打情骂俏，该玩就玩，该吃就吃，该睡就睡。真爱来了好好过，真爱不来也过得不错。你是好女孩还是坏女孩呢？

Question：和她在一起差不多有一年半了。在一起的时候，每个礼拜都接来送去，每天必定一个电话。上个月从国外回来，前几天去朋友那里小住了几天，为的就是给她买点东西，因为有时差，所以这几天就没时间给打电话给她。但是她却说，一年多的习惯，你就这么打破了。天知道，我只是为了可以给她多挑点礼物。她还说我不为她着想，她身体不好，又感冒，要吃两种药，但总是忘。我提醒她，她却说，你为什么事先不提醒我，现在说不是马后炮嘛。哎，我觉得好累。

My Answer：有一种男人是非常贱的，喜欢被女人折腾，甚至喜欢被女人打。有点像那首民歌里面唱的：“我愿做一只小羊，跟在她身旁，我愿每天她拿着皮鞭不断轻轻打在我身上。”你是有这种倾向的男人。别的不说，能够天天给这么“作”的女人打电话就是一种受虐的表现。所以你不累谁累！这都是你自找的。虽然你现在有点不想再当保姆，但是你的性格已经决定你不给她当奴隶就是给别人当奴隶，逃不掉的。我看你还是认命吧，最多换个更有钱的奴隶主，可以打完你以后给你买个多少克拉钻的脖套把你漂亮地拴在身旁。

ASK ME(五)

Question：她是我的好朋友，我们关系一直很好，但是最近突然觉得感觉变了。或许应了那句话吧，男女之间没有纯洁的友谊。可能这次我的感情发生了质变，但是她好像并没有变。这两天看到她我已经不像以往那么自然了，平时空下来也会不经意地去想她。想努力地将和她的关系跳出好朋友的范畴，但是不知该从何做起，为此我很郁闷。

My Answer：如果她一点都没感觉就挺难办的。你要先决定你是做好人，还是做坏人。如果做好人你就要跟她坦白你的感情，如果被她拒绝你也就只好忍着了。如果你当坏人就继续假装她的蓝颜知己，打听出来你是否有情敌。如果有，就在法律允许的范围内毁了他，有几个毁几个，最后她肯定是你的。你还可以根据你的生活自编、自导、自演一个电影什么的。总之，你真能当坏人你就出息大了你！

Question：她说和我一起的时候，变得很脆弱，常常不开心，因此要和我分手。可我知道她其实也很不舍得。她这两天常常哭。我想问问怎么样把她哄回来啊？

My Answer:我觉得她的理由太奇怪了。和你在一起她脆弱是好事啊,谈恋爱的人都很脆弱,要不怎么叫谈恋爱那!你别琢磨怎么哄她,还是好好去了解一下她为什么不开心吧。男人总认为女人是傻子,不去用心了解,而去用力哄。其实男人才是傻子。

Question:我已经和他分手了,也不可能再复合了,但是看到有别的男生追她,我的心里还莫名其妙地感到很不舒服。这正常吗?我是不是还喜欢她?

My Answer:你这问题关键在于"不可能再复合"几个字,如果真的不可能,你不会去想,既然想,就说明还是有可能的。这是你自己要决定的。但是我有个感觉你已经有别的女朋友了,所以说不可能,就是吃着碗里的,想着锅里的。

Question:和过去的恋人再次相恋有必要吗?分手已造成伤痛,如何重新面对?

My Answer:爱情是奢侈品,所以用一次还是用两次都是不重要的,你看着办吧。

ASK ME(六)

Question:“相亲”这两个字太老土太沉重，实在说不出口啊。主要是第一次，而且又不是单独见面，旁边有数个长辈，不知道如何比较稳妥，请给我点建议吧。

My Answer：相亲好啊！相亲把主动权放你手里了。你要是想结婚，就像去面试一样表现好些，你要是不想结婚，但又被拉去相亲，就干脆表现坏一点，这样就不用结婚了，至少暂时结不成。相亲可是大好机会，千万别错过。

如果想结婚：1、打扮成投资银行家：不近视也找副金丝边眼镜来。2：少说话，有问有答，不问不答。3：最好的礼品是吃的，蛋糕什么的，咱中国人爱吃，打动他们的胃，他们家孩子就是你的人了。

如果不想结婚：1：打扮成美国嘻哈唱派大师，裤子要露屁股缝，太阳眼镜从头带到底，不要让他们认出你来（这样你想结婚的时候，还有机会）。2：话不停口，专门说他们听不明白的东西（但是不要有粗口，这太不礼貌了）。3：到医疗用品商店去买礼品，比如尿壶、轮椅什么的。

Question：我是个活泼的女孩子，可不善于表达自己。上初中时我喜欢上了一个人，到现在还是很喜欢。以前我总有过这样的冲动，想告诉他：我已经喜欢你好久了。可出于种种原因，我一直把它埋在了心里。他是我的邻居，以前见面的机会好多，现在他搬走了，我就特别想对他表白了，即使他拒绝了我，反正如今我们住得远，也会让我有点面子吧。

My Answer：咱不马上就求爱行吗？你先约会一下他，看个电影，吃个饭，喝个咖啡。如果他愿意，你说的时候心里有点谱，如果他根本不愿意，那你也就不用再求爱了。

Question：临近毕业了，还没有找到工作，昨天接到家人打来的电话，眼泪都要下来了，我该怎么办？

My Answer：你是不是太挑剔了？工作不会这么难找吧？先学会生存，然后再改善自己的工作。刚刚进入社会一定要坚强，不能太脆弱了，再苦再累的活也可以先尝试一下，骑着驴找驴比较好。

Question：我女朋友为了她的理想打算申请去日本留学，一去就是三年，我不敢想象这么远的距离会对我们的感情造成怎样的伤害，她也很犹豫，我们该怎么办？

My Answer：顺其自然吧。得有“坏”的准备，这种长期分手的结果很可能就是吹了，也许你们的感情能承受。但她如果为了你，而不去追求理想，留下来也会有怨气，说不定更容易吹。所以这是挺无奈的事情，只好顺其自然。

ASK ME(七)

Question：前两天听一位教授说，你爱的人不爱你，这是人类文明无论发展到什么程度都无法解决的事情，是一个人最大的悲哀。我很受震撼。世界上的事情有时候真让人十分无奈。爱情也是一个让人迷茫，甚至失去自我的东西。假如有一天，两个人在我面前，一个是爱我的人，一个是我爱的人，我该怎么选择呢？

My Answer：这教授教什么的？这么感慨人生，还提到人类文明的程度，真逗！依我看，之所以人类文明，才会有这种现象。你说那大猩猩做爱会想那么多吗？所以这是文明的结果，是诗歌、文学、音乐等文明象征的源泉，就是人独特的感觉。所以不管是甜酸苦辣，只要你能有感觉就没有脱离文明和人性，没感觉的时候你才是向大猩猩发展去了。最后想说，但愿你那教授不是教文科的，误人子弟。

Question：爱她很久了，但在她面前始终手足无措，像一个小孩子一样。她也知道我爱她，特不反对我爱她。最近她发信息说，她现在没有男朋友。我基本上一年后要出国，想谈一年恋爱，然后分手。这样可不可以？

My Answer：怎么说呢，我觉得似乎大家动不动就能说爱这个字，在我看来很新奇。我始终觉得，爱是不能随便出口的。你在出国前希望有个女朋友一起玩，而没有长久计划，这挺能理解，但是绝对跟爱没关系。别把一时的聚会，即使还包括性，与爱混杂。你应该留点神圣的东西给自己，给别人。至于你现在的计划，其实没什么错误，但是，与爱无关。

Question：如果真的一直找不到喜欢的人，难道就真的永远不结婚吗？就真的一直像现在一样孤家寡人吗？有时候也许相亲是无奈的选择，但是又能怎么办呢？感觉真的很矛盾……

My Answer：喜欢、性交、爱情、婚姻并不都是一件事情，如果是的话，就不必用这么多字形容这些事情了。如果你对婚姻的要求是必须把这些事情都放在一起，那你的要求非常高，不是说不能达到，但是要有点耐心。而相反来说，有的时候你喜欢一个人，但是并不想结婚，并不说明你们就不能有其他的关系。苛刻最后只是害了你自己，生活就这么流失了。

人，特别是女人，千万不要把洗澡
仅仅放在清洁卫生之类的事项里面……

——《你的澡缸到位吗？》

200508

Ask Me(八)

Question：我是一个很理性的女人。他虽然很关心我，可总是改不掉他的大男子主义。他认为男人是做大事的，事情都应该由他决定！可我也是有自己独立思想的人。当初就是因为我们有着共同的信念才走到了一起，可如今他却不愿意听听我的想法。真的越来越不能忍受他的大男子主义了。

My Answer：你只要做一件事情，当着他的面在公开场合和一个大块头男人吵架。如果这大男子主义分子挺身而出，愿意为你打架，这说明他性格里面就是条汉子，即使有让你生气的一面，但他也会像个男人那样来捍卫你。如果他不跟大块头打架，那他就一钱不值了，不过一个伪君子。

Question：年纪不小了，还没个方向。家人和朋友经常会问："最近有没有方向啊？"知道他们也是因为关心我。没办法，虽然心里不情愿，可还得应付呀！最难受的是在公司，被当众问这样的事，他们可就是直说的呀："又大了一岁，要抓紧啦！有方向了吗？"搞得我好像就是嫁不出去似的，郁闷啊！我该怎么办呢？

My Answer：这事情两说着。你到底是性生活没方向，还是结婚没方向，这有很大的区别。如果是性生活没方向你早就应该着急了。如果连办公室的人都知道你在床上找不着北，不仅没有任何人献身，而且还在旁边要你“抓紧”，这真是不可思议的事情。如果只是结婚就别着急了，没事，着什么急？一辈子不嫁都没事，只要不耽误生活。

Question：我和他认识了四年，在这四年里我们经历了很多风风雨雨，现在的我25岁了，他和我一样大，但是他现在的工资是1000元，我也只有1000元，这点钱叫我们怎么结婚、怎么生孩子啊？他叫我再等他一年。我现在真的很茫然，我还要再等吗？

My Answer：25岁着什么急？你就是嫌他没钱也不至于现在就着急。你们25岁就想赚大钱，除非撞大运，不然就得先熬一会儿。一般情况下，25岁正是创业的好时候，关键是你们有没有一个好的计划。我家有个如花似玉的亲戚，就像你这么着急，把个心爱的男朋友甩了，找了个更有钱的。五年以后她原来的宝贝上了富豪榜，数一数二的有钱，这美女后悔来不及。本来可以是老板娘，这一瞎着急，只混了个白领婆。

Ask Me（九）

Question：每天都会看你的博客。我的性格也是非常外向的，但遇到事情却没有你那么大气。我已经四十多岁了，却在2001年由于一些事情，与我的同事很自然地走到了一起。但我们都是有家室的。到目前为止，各自的双方都已经知道此事，但为了孩子，为了能在我们这种小地方混下去，我们只在精神上喜欢对方。各自的对方为了颜面，也不提出离婚。因为我们知道自己的过错，所以都忍受着对方的辱骂和毒打，虽然每天都彼此折磨，我们俩还是忍辱负重地生活。我想摆脱，想和他了断，但一时也了断不了。他也是一样。我自己的生活状况是，即使他不离婚，我等孩子考上大学后也要离婚，因为我过的基本上就不是人过的日子。你能给我出个主意吗？我该怎么办？

My Answer：我这个人听不得婚姻里面有一方居然敢“辱骂和毒打”，这孙子以为有个外遇他就能动手吗？离，坚决支持你离婚，敢动手打老婆的男人都不是好东西，没教养。孩子固然可怜，但是天天看你们这么不愉快他将来会出心理毛病的，还不如现在就干脆点。人就活一辈子，有些事情是根本不值得忍受的。

Question：洪姐，你好！首先，夸您两句，我确实喜欢你，喜欢你的敢想敢做敢说，痛快利落劲儿！我是个32岁的已婚女子，与老公结婚五年多了，日子由最初的甜蜜逐渐平淡。我认为是爱情转化为亲情的必然现象，就没有过多理会。而老公却突然提出离婚，先说厌倦了婚姻生活，想单身。就在即将要办手续的时候，他被别的女孩的男友打了。他说是个误会，只是对那个女孩有好感而已，什么也没做过。看着他被打的样子，我又心软了。老公说已跟那女孩分手，不再联络，并重新考虑我们之间的事情，一起努力，看能不能回到过去，再决定要不要离婚。洪姐，你说我要不要原谅老公？

My Answer：你如果还爱他，那原谅不原谅都无所谓，而是看你肚量不肚量——即你能不能让这件事情过去，不提了，再也不去想，俩人好好过日子？还是你会经常唠叨，天天跟踪他的去向，弄得很累。如果是后者，我劝你不要再维持下去，两个人都会很难受的。

Question：我现在27了，迄今为止一个正式的男友都没有交往过。我很纳闷，自己一切健康，相貌过关，也没有同性恋的倾向，只是没有特别的冲动想谈恋爱。现在年纪大了，碍于社会的环境和认知，我还是觉得自己这样不太正常。我是否心理畸形？有办法改变现状吗？

My Answer：这有什么？不谈就不谈，不要让社会上的舆论左右你自己的生活。我有一个朋友和你一样，既不交男朋友，也不交女朋友，就是没兴趣。原来我们老替他着急，他就笑话我们说：瞧你们一个一个谈恋爱着急的样子，还替别人操心。他其实说得挺对的，谈恋爱的人才着急那！

自嘲是每个聪明人必备的武器，

特别是遭到困境的时候，

能够自己点拨自己一下，

就可以解围了。

——《前夫与馒头》

四、“博”里“博”外

BOLIBOWAI

关于博客

博客是个害人的东西，跟鸦片似的，上瘾。

写博客会上瘾。我刚开始是坚决不写博客的，觉得我够忙了，不用再给自己找事情。结果一开始就一发不可收拾。

我总结了写博客两条上瘾的地方：

第一、就是没编辑管你。这对写字的人来讲太舒服了，有点像妇女解放运动以后，女人可以选择不用戴胸罩一样。这当然有一定的风险，胸罩还是有校对作用的，写博客没有校对帮你改错别字，但也没有人把你文章改得面目全非了。

第二是眼球。不带胸罩上街溜达的女人是为了得到注意力，写博客也是一样。很多人说，写博客是因为有话要说，但是这种倾诉欲望根本不足以让人上瘾，只有上百万上千万的眼球才会让人白天黑夜地更新博客，从名人到老百姓都在给新浪免费上班当写手。

我们这代人就这么大出息，给点眼球，什么都好，就如王尔德曾经说过，“比别人说你坏话更糟糕的事情，就是没有人说你。”

看博客也会上瘾，原因也有两点：

一、不是所有人都去厕所里面冒着掉茅坑里的危险去偷看女人屁股，但是所有人都好看到自己不该看到的东西。多少我们都喜欢窥视点什么，不然八卦杂志不会这么火。看名人博客上瘾是因为窥视的快乐。

二、还记得你有生以来第一次破口大骂，把你不该用的词在30秒之内全部井喷吗？博客能让你骂人，而且毫无顾虑，你是看官，没人知道你是谁。

我的书架上有一本我特别喜欢的集子，名为《抽烟、喝酒、做爱》收集了当代文学作品里面描述以上三种一干就上瘾的事情。我想，现在再收这样的集子就该叫《抽烟、喝酒、做爱、博客》。怎么这些不健康的东西就这么 tmd 好玩哪！

王原
2003.11.22

王原
200509

前夫和馒头

由于前夫和一个馒头过意不去，这一周以来，我的所有朋友都毫无遮拦地拿我开涮,带着讽刺和嘲笑的口气,点拨我对男人的判断能力和品味。昨天晚上已经到了高峰，一桌八个人，原来都还绷着点，现在全喷出来了。今天早上看了博客，发现帖子里面我也受牵连，看来这女人出嫁一定要慎重，我这辈子真是来不及了，下辈子得注意。

这事我感到非常冤枉。首先，非要把我跟一个我十多年即没见过面、也没说过一句话、甚至连碰都没碰到过的人联系在一起，这实在不太公平；其次，派出所的警察经常告诉犯错误的同志：“有错改了就好”，就算我有前科，也不能天天提领，多不厚道。

我一直想装个正人君子，高姿态一点，沉默一点，但这事实在太好玩了，我都快给憋坏了。再说我再怎么努力这辈子也不会有人把我当淑女，所以干脆就在这儿多几句嘴了。

咱中国人有句俗话：“宰相肚里能撑船”，连个馒头都装不下，不就明显变成小肚鸡肠了嘛。何况这馒头明显是把一顿粗粮变成富强粉了，这不是好事？要是我的话，看看家里还有什么陈糠烂菜，干脆都拿出来让高人变成好吃的细粮，即挣了面子，说不定还能挣钱，名利双收。

自嘲是每个聪明人必备的武器，特别是遇到困境的时候，能够自己点拨自己一下，就可以解围了。被别人嘲笑是很难受的一件事情，但是像鲁迅那样要“痛打落水狗”的人还是少数，大部分人都会网开一面，一笑了之。

这篇文章算是开戒了，所以我们《乐》杂志的编辑也饶不了我，这不，已经来催我去写三月份的“馒头问答”了。求大家行个好，多看我们的杂志。如果觉得我们也是粗粮，欢迎把我们蹂躏成馒头。

最后，必须向当事人道歉，但是我再憋着会得癌的。

博出一身冷汗来

我这几天已经彻底晕了，根本没有想到博客这么厉害！真是有点大发了。

昨天我们开内容规划会，从十点到十二点半大家还是比较正经，吃中饭的时候就都憋不住了，不知道谁提议《乐》把三月“吃”主题改成搜索北京最好吃的馒头店，封面是我抱着一个巨大的馒头，标题为“无极馒头无穷乐”，然后又开始琢磨这最大的、蒸馒头的屉到哪儿去买，是要二尺直径还是三尺，要买多少面，最后那馒头该有多重，我搬得动搬不动。

笑完以后有几秒钟谁都不说话了。有人小声问：“真做啊？”之后，大家都沉默了，都在想：这是不是太戏过了。决定权在娜斯手里，她是所有《乐》中文版的主编。娜斯看了我一眼说：“算了吧，这可不是自嘲，这是嘲笑别人。”

我很幸运，在晕的时候，身边有清醒的人。

和潘石屹吵架

昨天我公司的两个小家伙急急忙忙找我说："潘石屹在他博客里面说你说博客都是垃圾，人家都向你扔板砖哪。"我这几天正好气不顺，看都没看就给老潘发了个怒发冲天的短信：说你TM还是朋友，招人在网上骂我，什么意思，你！然后他好一番解释，又短信，又电话，我也缓过来，上了他博客看了一眼，惭愧无比，闹了半天人家说了我好话。咳！昨天晚上跟龟孙子似的去他家吃饭，只好说，我这几天犯PMS，原谅！原谅！

这么丢人的误会我还有一次。大概二十年前去香港，叫了辆出租车到酒店，那司机就是不下车帮我拿行李，我立刻认为他是看不起大陆来的，拿英文冲他喊。这中年男人看着我这母老虎只好叹口气，打开车门出来，这时候我才发现，他缺了半条腿！羞得我恨不得给他跪下。

你说我怎么就这么不自信啊，丢人。所以博客多少是这么个激将法给逼出来的，我就是怕变成"文字拉稀"，让大家眼睛受累。

凹造型的八十后

对于八十后的作家我基本上不敢发表评论，一来他们的东西我看得太少,但是更重要的是这些小毛头屁股后面居然有那么多粉丝,可以群起而攻，把我们这些老家伙开的博客都打关门了，厉害，厉害。今天我是纯属于找死，但是豁出去了，因为我刚在上海学了三个字，用来形容韩寒和Acosta再合适不过：凹造型。这词太好了，把有意塑造自己形象说得很通俗易懂，把我们这个象形文字的优越性发挥得淋漓尽致。

有史以来，凹造型的作家都是明星感觉比文人感觉多一点，这就遭人恨，也遭人骂。比如Truman Capote，（电影《Capote》里面的主角，这个电影这次还拿了个奥斯卡最佳男演员）当年凹得厉害，美国大作家Norman Mailer曾经骂他没话找话："最好的作家在他最坏的时刻都比这个Capote有话说。"

Gore Vidal（也是大作家，其作品《Galigula》被拍成了一个非常流行的三级片，好像中文翻译为《罗马大帝》）也说："Capote把撒谎当成一门艺术。”

在一次作家聚会上，Harold Ross头一会看见Capote的时候就大叫：“上帝，这是个什么东西？”

可是Capote的书卖得比谁都好，而且他的《冷血》成了以小说形式写报告文学的典范。评论家们不承认这东西跟文学有关系，但老百姓倒是非常爱看。

比Capote更早，而且造型凹得更狠的就属于海明威了，也是遭人骂，死了以后还有作者骂他。他把自己用实际行动凹成大男人作家，打仗、斗牛、玩女人。而Max Eastman曾经说：“海明威的文学风格就是（男人的）假胸毛。”Gertru de Stein是二三十年代美国的传奇人物，她在巴黎的沙龙里不仅聚集了文学家，还有当代艺术的很多大师。她本人是个很严肃、较劲的作家，出的书都卖不好。她作品里面最著名的一句话是：“一朵玫瑰是一朵玫瑰是一朵玫瑰是一朵玫瑰。”她恨海明威到了给自己的狗起名叫海明威，一有人来，她就喊：“去玩去吧，海明威，凶猛一点。”

文人相轻是全世界文人的光荣传统，我觉得挺好，要不然文学青年就没热闹看了。我自己试着看过韩寒，没看进去，但是他和Acosta的博客倒是经常看。如果我想骂他们这两个凹造型的八十后，就可以借用Gertru de Stein骂海明威的话：“发表点意见不等于文学。”但是我也可以用萧伯纳的话维护他们一下“年轻人唯一能为老家伙们做的事情，就是刺激他们，让他们不至于落伍。”

“凹”得巴赫猜想

5月25日

大概下午。

受高人点拨，让我评八十年代后。看了一天小说、博客，查了一天资料，憋出来一个帖子。

5月29日

上网看了一眼，果然不得了，从来没有看见这么多骂人的评论。再往下看，已经是写评论的人互相骂，跟我没关系了。

5月31日

中央人民广播电台一个编导来电，对话大致如下：

编导：我们过两天做一个关于净化网络语言的节目，想在线采访你。你对在网上挨骂有什么感想？

我：很无奈。既然写东西，大概挨骂也是难免的。最受不了别人无缘无故伤害我的家人。骂我本人的无非是人身攻击，或者干脆骂大街。他们在暗处，你在明处，比较无奈。

编导：那你认为“净化网络语言”有必要吗？

我：怎么说哪，我觉得博客、网络给人一个说话的机会，挺好的。我们不会说话是因为这种机会以前没有，所以说话的素质比较低，变得不会表达观点，只会表达感情，说不出道理，只会破口大骂，这是没有思维能力的表现。说话机会太少造成了词语贫困化，突然爆发出来，肯定有不少排泄似的东西出来。但是提高素质也不是一天两天的事情，所以得有个过程。如果说把这个平台扯了我就不挨骂了，那我肯定还是宁愿挨骂吧。尤其不喜欢“净化”两个字，直接联想到半个世纪前，一个奥地利人要净化日耳曼民族，比挨骂要恐怖。

过了一天，编导说访谈推迟了，以后再联系。

6月2日

一看官通过朋友递话，说喜欢我的博客，但是大可不必去评小孩，很无聊。

6月5日

下午两点，和潘石屹通电话。

潘老板：你跟韩寒吵架啦？

我：没有啊，我只不过写了篇博客说八十后。

潘老板：他回了你了，你不知道？

自嘲是每个聪明人必备的武器，
特别是遇到困境的时候，
能够自己点拨自己一下，
就可以解围了。

——《前夫与馒头》

我去趟厕所……
王原
200505

我：不知道啊。

潘老板：你快去看看吧，你。

我：好嘞。

下午三点，和王小峰终于短信认识了。我喜欢他写的东西，能让你笑得肚子疼。

王：洪晃老师，我是王小峰。我们现在非常困惑你的“凹造型巴赫猜想”，您能解释一下吗？

我：你好，我是洪晃，你是哪个王小峰，我认识三个。

王：我是《三联生活周刊》的，朱伟手下的。

我：知道了，你说那博客吧？

王：是。

我：那你觉得哪？

王：我觉得你在骂他。

我：我特别喜欢你的博客，但是文章都是别人介绍的，我找不到你的博客。听说你老骂新浪。

王：是的，就是我汉语拼音的名字，然后“点”net。

我：我也不知道是骂还是捧，让大家猜去吧。

王：这就对了。

大概晚上七点，终于有时间上网，看了韩寒的博客。感觉好像他也不是100%肯定我在捧他。

这么多年，我也难得含蓄一回，就让大家都猜、猜、猜吧。

捐书补碘

袁立在她的博客里面号召捐书，这是个好事情。我不仅有书要捐，还要捎带上几个朋友和我一起响应袁立的号召。

第一个就是沈宏非。我刚刚买了他的《笑场》，看了一小段，已经又笑翻了。这个喜欢穿背心戴帽子，会说广东话的上海人居然肚子里有这么多坏水和墨水，但是没有一滴酸水。我想号召他把自己写的书捐出来一些版本，现如今的孩子读到的东西酸性的比较多，而且缺碘。看沈鸿非，就像给食盐里加碘，有助于不出那么多酸溜溜的傻子。

第二个人是小宝，就是上海季风书店的老板，也是专栏作家。老舍先生曾经说幽默又很多种：irony就是反语。比如我八年来办的刊物的累计发行量不如我两个半月博客的阅读量大，这就是个irony；Satire是讽刺。比如有一次小宝问我，晃，你做杂志就是玩玩的吧？这就是讽刺；还有wit，就是机灵。文人加商人，没有机灵是不可能胜任这种双重身份的。看了小宝，就能基本掌握幽默的各种表达方式，长大了骂人绝对不带脏字，非常有助于精神文明与和谐社会.

第三个是伊伟，他再不捐书恐怕哪天躺在床上会被他自己床头书架上的书砸死。他太爱买书，而且买了就看；我也爱买书，可是买了来不及看。我和他每个月第一个周六在灯市口的商务印书馆做一个读书的讲座，谈谈看书的体会，每次我都变成主持，他是主讲，因为他看的书太多，我根本没法跟他一般见识。伊伟曾经在iLOOK干活，但是因为背不出名牌，只好退出。让我吃惊的是，上个周末他居然跟我说，晃，推荐一本讲服装的书。我以为他要痛改前非，当时尚人士了，结果推荐的是沈从文写的《中国服装史》，里面还是没有名牌。而这么厚厚的一本书，这个除了牛仔裤、T衫之外没别的行头的秃头小子，居然从头看到尾。

第四个人是俞俞，当当的老板娘。我是当当的忠实客户，原因有二：一是品种全，二是价格便宜。我想当当作为全国大大大书商，拿的价格比别人低，可以号召所有出版商都捐一点，应该是个做贡献的大头。

至于我自己当然要捐，而且我可能有不少书是嘎蹦儿新的。我老买书，老来不及看，等到第二次逛书店的时候又买一本，比如刚才提到的老舍先生幽默文选，我就有两本。另外就是有很多书跟时尚刊物一样，内容重复，买了之后发现作者把我玩了，用出版旅游指南的方式出散文，每出一本新书就是在旧的基础上更改20%-30%的内容，这就让我有很多重叠的书籍，也应该分享。

总而言之，捐书是个好事情，除了以上点名的重点对象之外，我们都应该捐。当然，如果你是不看书的人就别特意去买书了，把钱拿来也挺管用的。

文人剑出鞘

小时候，我的语文课本里面有一篇鲁迅先生《痛打落水狗》的文章，课文的左下角有一排小小的注，告诉读者，落水狗就是当时的教育总督，我的外公章士钊。我人小，不懂事，觉得课本里面有外公的名字是一种荣耀，总是大声朗读，一直到被大人拉到一边制止。这时候，我外公总是会挥笔写些东西，然后放弃，躺在床上，轻声地说"荒唐。"毕竟历史环境让他无可奈何，只好一个人郁闷地看着外孙女津津有味地读鲁迅骂他的文章。

我以为，只有当文人能够以字为剑，为自己的观点挺身而出，地位、面子、关系都豁出去了，这才叫真正有文人气质，生活才开始有文化了。而长期以来，文人都变得很乖，当面挥剑的几乎没有，背后扎针的无数。我们的文坛有呻吟，没有声音；有嘲笑，没有幽默；有文字，没有观点；有感觉，没有灵魂。

所以今天又有丹青、朱伟两位哥哥出来文字一搏，我当然是拍手叫好。想起当年大学时候发现王尔德和萧伯纳互相攻击的字句，着实盼望两位发扬当初爱尔兰前辈的精神，有啥说啥，哪儿软，就掐哪儿。可惜来了个记者杨青，像“文革”时候的工宣队，把近期来的人物全部归了两组对立面，用体育评论的方式分析文人的争执，真是让人哭笑不得。只好感叹，我们几十年来的阶级教育真 TMD 到位。

要我说两位阿哥的笔战有两个看点：

1、丹青哥哥为什么隆重地推出木心先生？依我看一半是欣赏木心先生的文字，真的想分享；而另一半却是用自己现如今的影响力，还一份师生之情。前者无可非议，而后者却说明中国人再前卫，也摆脱不了裙带关系。

2、评论家还是主编？朱伟对木心的评论很正常，说实话，我很赞同。但是这不是看点，而看点是朱伟毙了 M 先生采访丹青的稿件。在我们的媒体里面，作者、编辑，记者，评论员甚至广告销售员，都可以集中在一个人身上，这导致所有媒体人位置混杂，其尴尬的处境绝对比一个怀旧的木心要难受得多，也许这也就是“朱兄”无法出手的难处。

至于丹青哥哥戏说在春雨绵绵的北京，如果他和朱兄大打出手，我是助战还是劝架一问，真是让我想入非非。两位阿哥虽然不年轻，但是身子板都还非常俊俏，所有戴眼镜玩笔墨的女编辑都梦想与朱兄彻夜过招，而丹青哥哥更是所有时尚编辑的梦中情人。如果二人真的赤膊上阵，那来助战的何止我一个，那将是中国媒体的娘子军连啊！

当然，我们会带着爱心和紫药水，呵护两位阿哥心灵和身体上的每一处伤痛。

等待上海男人吵架

3月7日，周二。

下午两点上飞机，去上海。一摞报纸，乱翻、狂看、娱乐版全部是奥斯卡……奥斯卡……奥斯卡……停!

有家英文报纸说李安是这么开篇的：An Lee is the pride of Chinese people all over the world and the glory of Chinese cinematic talent.(李安是全世界华人的骄傲，是中国电影的荣耀。)要是我，说话就会小心点。《断臂山》不会在国内放映，想目睹一下我们的“骄傲”，唯一的方式就是去买个盗版碟，偷点“骄傲”的版税。还有，据我所查，“荣耀”的所有电影都不是中国人的投资制作，所以，也许我们应该反省，我们的“骄傲”和“荣耀”怎么全得靠别人发掘、培养？咱们说什么哪？老王没瓜，也能自卖自夸？

下飞机，行李放家，立刻出门和上海的狐朋狗友们聚会，一个多月没来了，想！八个人聚集在彤彤酒家，有人说，看见没有，朱伟和陈丹青要在博客上打架了。为什么？为什么？七张嘴都抢着问。两个人我都认识，都敬佩，都是我的上海大阿哥。有人解释两个大阿哥争执的事由：丹青前些日子极力推出他的恩师木心的书，而朱伟在博客中写了一篇评论，基本意思是说木心很过时。此后，朱伟又在他掌门的《三联生活周刊》毙了一篇丹青有关此事的访谈，而丹青前两天把这篇访谈全文放在他的博客上，并且标出“平面媒体可以转载”的字样。两个上海大阿哥要开始博客相扑，好戏啊！

3月8日，周三。

早上醒来，擦把脸，倒杯咖啡，立刻上网，看两个大阿哥是否开战。

极其缺乏文学修养，丹青那篇访谈居然没怎么看明白。朱伟那篇倒是足够白话，看懂了。然后开始狂找木心先生的文字和报道。终于，看到一个不太像他本人开的博客，上面有不少文章，还有他签名售书的照片。先看了一篇《上海赋》（一），基本意思是说上海人只看得起穿得讲究的人，虽然作者好像不太确定这是正确的世界观，但是这篇文章的大部分篇幅是讲老上海讲究穿的细节，而且能够大段、大段地朗诵各种面料。我的第一个反应是：一定把这文章给时装编辑，他们应该把这些面料全背下来。

再回朱伟的博，看他是否出手，没动静，再想去看木心，一不留神，从网上滑下来了。

下午，上海《新闻晚报》的谢记者和一位姓乐的朋友来我家，说是采访，但是结果是我们三个20，30，40的女人开始狂聊。谢记者20，是娱记，说起一个女作家，情不自禁骂她装逼，大家都觉得痛快。乐是30，大美女，穿的衣服连线头都是对的，是继承了木心老师拿不住是否正确的上海穿戴道德的女性，但是乐30可不是那种甜得发酸的上海小姐，她经常在MSN上聊天时被别人感叹：哎呀，美女也能说粗口，因而决定，成立20，30，40女子粗口阻击小组，互相留下地址，策划小组下次活动。

晚上，请了一百多朋友看《无穷动》，我也是第一次在电影院看。我在银幕上一出现就把我从影院里给吓跑了，一直等到电影放完才回去。大家反映说还不错，比预计效果要好，有人用上海话说："可以吹吹牛皮的。"但是也有朋友发短信说：没见过一个电影里有这么多丑八怪。

几乎还是头天晚上原班人马，又出去喝了一遭。喝酒的时候大家说两边博客的看官们都在煽惑打架的事情。回家已经一点，又上网，朱伟大阿哥还是没有出手。想好了，如果开战，我庆战的博这样开篇：

"朱伟和丹青可能要在博客上开战了，我以美国卡车司机等待观看两个女人在泥里摔跤的心情，期待着两个上海阿哥一轮又一轮秀丽而尖锐的文字……"

3月9日。

中午，沈鸿非介绍我去跟他和林栋甫一起录制上海台的电视节目，开播之前，大家叹息上海一个用方言说黄段子的艺人居然公开表示要改过自新了，又少了个乐子。节目是用上海话，我结结巴巴，三个人说得难得开心，连摄影和制片都笑出声来了。这沈鸿非真是个奇才，他脑子转得贼快，不管你说什么他都在拐弯抹角的地方等着你。走的时

真悬呀爸，要不是我反应快，就撞上了…
王原
200503

跟你们说过多少遍了，不要把试剂往同伴头上倒！
瑨.
2003.5.5

候忘了问，我那两个上海大阿哥有没有在博客上面出手。

下午去找设计师吉吉，我们在一起策划一个好玩的事情，现在还不能透露。每次看见吉吉都有收获，他真是个伯乐，所有的中国设计师他都认识，真有好东西。牛得很的设计师，就在咱们身边，东西一点不贵!外国媒体每个月都派记者来挖掘这些设计师,吉吉一个一个给他们推荐,可是要请中国媒体写点这些还没有红得发紫的人似乎难上天。媒体总是推说，没有知名度，不是国际名牌。我想一旦等这些孩子红遍外国，也拿个设计奥斯卡，我们的媒体就会开始说，噢！我们的骄傲！噢！我们的荣耀！这些设计师就会跟李安一样，从平面到电视到网站，从头版到娱乐到副刊，到处都是。可现在，甭想!

正说得欢，张永和来电话，说他从美国回来，周末见面，也有个好玩的项目一起做,高兴。张永和是我认识的人里最有趣的一个人,他盖的房子，写的书，策的展，交的朋友，都好玩。是他介绍我认识王一扬，王一扬介绍我认识吉吉。唯一不理解的就是他盖的房子里面的卫生间全是蹲坑，愁死谁!

该走了，去机场的路上朋友来电话，说和朱伟通了电话，不准备出手，要保持学术讨论的高度，不想下榻到娱乐境界。太扫兴了!

晚上十一点，飞机降落北京，发现三天以来，我像等待戈多一样等着两个上海大阿哥开战。

回来，赶紧写，不然明天找不找感觉了，现在是半夜两点，可以收笔，睡去了。明天上贴。

我们跟他们的第二个区别在于

“脸”这个字上。

要脸的人跟着别人的感觉走，

不要脸的人跟着自己的感觉走。

——《我们VS他们》

五、
他们我们

T A M E N W O M E N

我们VS他们

12岁的时候我就发现，美国人跟我们太不一样了。

他们家的小朋友一点也不乖，根本不听话。"乖"在英文里几乎是个贬义词——docile,submissive；而"听话"二字绝对是美国女人对男朋友的要求，对孩子并没有这么苛刻。73年我刚到美国就犯了一系列"乖"的错误，上课我们坐得笔挺，美国孩子横倒竖歪，结果老师反而问我们听课的时候为什么像僵尸一样。

我们跟他们的第二个区别在于"脸"这个字上。要脸的人跟着别人的感觉走，不要脸的人跟着自己的感觉走。我从小最怕给家长丢脸，12岁出国之前大人来来回回嘱咐：千万别给国家、人民、父母和全中国的小朋友丢脸，把我们吓得，步步小心翼翼，使劲琢磨什么样的行为能够让别人夸奖我们，给脸上贴金。到了美国以后，发现他们不太讲究脸面，倒是对"fun"这个词挺强调的。我们学校的口号是：Learning is fun，家长送孩子上学告别时说：have fun，等他们长大了，连公司开个大会、培个训都要问：Are you having fun?美国人对一个人最大的赞扬就是他是个fun人。

我们从小很现实，强调短期效益，小学成绩好是为了考初中，初中为了高中，高中为了大学，大学为了什么我们开始有点含糊，那就考研吧。而他们特别能做黄粱美梦，从小就开始。在家做美国梦，发明个因特网、窗户软件、苹果电脑什么的。到咱们这儿来就做中国梦，1.4亿人口左手可口可乐，右手麦当劳，脚上蹬着双耐克，耳朵和肩膀中间还夹着个摩托罗拉。

当年，这些区别多少给我们和美国小朋友的沟通带来了一定的误会和困难，但是我们马上琢磨出来一套对付方法：首先，别那么乖。完美和人性是对立的，弄个七成人性，三成完美就足够了，太完美了反而招人恨，而且还把自己累着。第二就是要时刻大喊大叫："I am having fun!"我fun，你fun，我们大家都fun，fun，fun！即给了他们脸，也给自己挣了脸，对付老美其实就这么容易。最后就是要忽悠一个梦出来，然后手拉手地说："哥儿们，走，咱们追地平线玩去。"

但是现在这些区别越来越小了。我们的孩子越来越闹，他们的越来越乖。我们开始have fun，他们倒开始要脸了，我们开始追梦，他们倒变得挺现实，不追地平线了，追着"屁股线"（bottomline）满世界乱跑。世界真的平了。

逼娼为良

前些日子，我认识的一个外国电视记者满脸沮丧地对我说："中国媒体里面的新闻，80%是假的。"原来哥儿们被他英国老板逼得在中国到处找"带毛的"八卦新闻，说只有这样才能提高收视率。所谓"带毛的"就是小动物的八卦。哥儿们狂搜中国报纸，终于发现一条带毛的八卦：四川一个小镇上，一个女人和老公打离婚官司，原因是老公有外遇，"证人"是他们家养的一只鹦鹉，因为这倒霉的鸟居然学会了她老公半夜和情人的绵绵细语。哥儿们想，这种故事百年不遇，真是一箭双雕，既有动物，又有绯闻，纯属A类八卦。可惜不是明星，要不然就是十全十美的八卦了。于是乎，兴师动众，一个摄制组赶到一个小县城的法院门口，像当年等阿拉法特那样等鹦鹉。两天以后还没动静，哥儿们急了，毕竟他是放弃了一个正经的贪官污吏的故事来追八卦的，要是没结果回去还真不好交代，只好把报道这鹦鹉故事的中国报社记者揪出来是问，那记者满脸委屈地告诉他们，那故事是他编的，因为他的主编也追着要带毛的八卦。

窦唯的事情一出，更让我怀疑咱们这儿的新闻有多少是真的，何况我自己也被媒体骗过不知道多少次："谈谈创意产业吧"，大标题出来又是"前妻"；"说说中国女性吧"，上来第一句话就是名门；反正扯来扯去，总归落在八卦上面。本来想写篇文章好好骂一下这八卦媒体，做了点调查，发现这八卦不仅有点历史，而且是越来越火了。

八卦报纸英文叫tabloid，19世纪就开始有了。第一张这种报纸比正经报纸的尺寸小一半，正好是《新京报》和《人民日报》的区别。正经报纸讲的都是国家大事，八卦报纸都是家长里短，但是那时候就卖得比正经报纸要火，是正经报纸六分之一的价钱，劳动人民特别喜欢看。美国的八卦大王是赫斯特，就是电影《公民凯恩》里面讲的主人翁。他是第一个把国家大事也当八卦来炒的。为了卖报纸，他曾经忽悠出一场战争。他最有名的一句话是"你给我一张照片，我给你一场战争。"这是赫斯特跟他一个记者说的。他当时在他拥有的《纽约日报》中煽惑美国跟西班牙打仗，大肆宣传西班牙人在古巴的罪恶，等到美国的军舰USSMAINE在哈瓦那港口爆炸以后，他一口咬定是西班牙人干的，结果所谓的美国－西班牙战争就真的打起来了。跟他一比，所有忽悠都变成小忽悠了。

和八卦肩并肩成长的就是娱记和狗仔队。这娱记还可以理解，因为是报纸雇用的。可大部分狗仔是自由职业者，那可真是一颗红心为人民，因为有时候他们的开销大于一张照片能挣来的钱。中国的狗仔队还在成长，外国的已经成了系统，而且无恶不作。比如美国法律规定，狗仔队在公众地盘拍下来的照片是属于言论自由，可以随便发表。当明星躲到楼里面去，他们就恶作剧地打恐吓电话，说楼里有炸弹，或要脸的人跟着别人的感觉走；

不要脸的人跟着自己的感觉走。

——《我们VS他们》

精神治疗
中心
你们会后悔的！她
确实是妖怪!!
精神
治疗
中心
精神
治疗
中心
王原
2001.10.24

者偷偷溜进去，拉响火警，这样把明星赶出来他们就可以拍照了。够缺德，但是也够不容易。

八卦报纸和杂志从第一天开始就没有任何义务尊重事实、隐私、公正，他们存在的理由就是捕风捉影，煽风点火，弄点隐私出来娱乐大众，这是他们为人民服务的方式。如果我们想要求八卦讲道理这纯属于逼娼为良，和逼良为娼一样使不得。

我现在是彻底糊涂了，倒是想问问大家，你说这八卦该存在吗？

科学幻想

克里斯汀说："我看过的中国电影都是讲以前的事，I mean，我们美国就喜欢拍科学幻想片，就像《黑超特警组》(Men In Black)和《第五元素》(The Fifth Element)什么的，中国就没有，you know，科学幻想类的东西。"

"有吧？"我虽然觉得这个黄毛丫头说得挺对的，虽然她从来没去过中国珠江以北的任何地方，但我还是要"扛"一下："我看过一部香港电影，好像有点像未来的事，有机器人什么的。"

"那不算，"克里斯汀反驳道，"你说的那种电影就像《ET》那类，只是幻想，不是科学幻想。"

"那什么才算是科学幻想？"我问。

"科学幻想必须把未来世界想出来，包括未来的社会、政治、经济结构，都必须和今天不一样。如果只是一个未来的东西到今天的社会来了，就不算。《ET》就不算，《星球大战》就算。"

我有个毛病，每当说不过人家的时候就换个话题。"你说，也怪了，就算我们没幻想能力吧，可我们做的事比幻想还幻想，比如中国这几年的经济发展快得出乎任何人的幻想能力。我小时候从来想不到中国能发展到今天这个样子。再说，你想一想三峡工程，如果没有想象力怎么可能有这种工程？"

"三峡是什么？"

她真无知。我很得意地花了喝三碗牛奶咖啡的功夫向她介绍了三峡历史之悠久，工程之庞大，未来之光明。

"你们这么缺电啊？"这是她对我一番辛苦口舌的唯一评论。"But"，我最怕她说 but，"三峡工程是从实际出发的，不能算幻想。"克里斯汀说，"我教你什么叫科学幻想。这么说吧，如果叫你拍一个三峡的电影，你拍什么？"

"故事片？"我问。

"故事片。"她肯定地说。我脑子里只有什么大禹、都江堰的故事来回晃悠。这些都不能说，都是历史，说了正中下怀。"你先说吧。"我反问她。

"那太多了，都是科学幻想。三峡里可以出个妖怪，就像苏格兰的尼斯湖怪兽，这是一个题材；三峡移民这么多，可以拍一个中国版的《开路先锋》(Mad Max)，或者《水上世界》，这又是一个题材；但是最精彩的是拍一个像《华氏450度》那样的片子。""你是说杜鲁福(Truffaut)拍的未来世界里消防队烧书的片子？""没错儿。"克里斯汀开始进入角色了。"试想三峡工程成功了，但有一个问题，供电过多，如果不消耗80%，电站就有爆炸的危险，所以在消防队的监督下，家家户户必须昼夜点灯，永远生活在光明中，这是什么感觉？多棒的一部科学幻想片！"

"异想天开。"我用汉语说。

矮望图死逼克English

离奥运越来越近了,北京人学英文的活动已经如火如荼地开展起来,连胡同里面都有英文班,说是万一有外国人问路,咱不能丢脸或者不友好。但是有时候这外国人就是对咱们有偏见,就说个“不知道”,也能得罪人。

比如几年前,一个寒冷的元旦早上,我陪一老外去门头沟看法海寺。老外眼拙,把车停在一个写着“法海寺左拐”的牌子下,下车问一个站在牌子下面的老大爷,法海寺怎么走。大爷笑嘻嘻地看他半天,什么话也不说。老外又使劲问了几遍,大爷笑呵呵地摇头说:“哈喽,矮东弄。”

这老外懂中文,突然一抬头,发现上面那块牌子,气就上来了。

“为什么他不告诉我法海寺在那儿?”他冲我很凶地问。我没理他。

老外气冲冲地上了车,横冲直撞地开到法海寺门口,花了两个钟头把法海寺看了个透,还用一个自带的手电筒照了半天壁画,一边看一边说,古代中国人怎么怎么有文化,言外之意,现在的中国人没文化。我在旁边一言不发，搓火。

回城路上，老外终于开始全面对老头的“矮东弄”直接开始发表言论：

“你说，这个老头不告诉我，是不是因为我是外国人，他排外？”他问我。

“不会吧，”我说，“排外的中国人不说‘矮东弄’他们都觉得我们可以说‘弄’，就完了。”

这是第一个回合。

过了一会儿，他又来了：

“那他就是文盲，看不懂他头上的牌子上面写的字。”老外的脸上堆满了讽刺的笑容道，“我真奇怪，离北京这么近的地方有人不识字，这在美国绝对不可能的，能想象曼哈顿旁边有文盲吗？”

“你说什么呢？”我也皮笑肉不笑地从牙缝里说，“曼哈顿区旁边都是文盲，都不懂中文。”

这就算二比零。

老外沉默了一会儿，开始第三次进攻。

“有没有可能他根本不知道法海寺在哪儿？”他狡猾地说，“现在的中国人真不注意自己的传统，这个老头住在法海寺旁边，但从来不去。我保证他去过麦当劳，但是没去过法海寺。”

老头我不敢保证，但我有点怀疑门头沟的中学生们可能是这样的。老外说到我的痛处了，只好用声高压压他的邪气。我大声嚷嚷道：

“就因为这老头不说洋文，所以中国人要不然是排外，要不然是文盲，要不然是没文化？你说这种话纯属于找挨抽吧你。”

老外也不让人，呱呱呱开始用洋文和我吵架，一个好好的元旦就这么给毁了。

老头的“矮东弄”其实说得挺标准的，也是英文。我琢磨那大爷也至少七八十岁了，人家还知道“矮东弄”挺不容易的，只是用心良苦，但是结果不理想。所以为了实用起见，住在名胜古迹周围的大爷、大娘不能再说“矮东弄”了，要学几句能用来给外国人指路的英文，这样才能给外宾留下好印象。

大家都说我英文不错，我就在这儿为法海寺附近的大爷、大娘露一小手了，跟我一起念：

第一句：

“法海寺以自文丝某克啊微富浪木黑二”——法海寺离这儿只有一袋烟的工夫。

第二句：

“法海寺以自啊扑腰啊自”——法海寺就在你屁股后面。

第三句：

“矮东弄，以付矮都，矮屋得发克英太儿优！”——不知道，知道就TM告诉你丫的。

注：第三句中，第三段的“克英”二字要连得很紧的发音。

这样就好了，我们大家都“死逼克”English啦！不会再丢人啦！

没用的外国人

电影《十面埋伏》和《2046》的摄影师是一个叫 Chris Doyle 的澳大利亚人，但是连他自己都不以英文名字自称，他更愿意大家用他的中文名字：杜可风。老杜今年五十二岁了，他年轻的时候是悉尼海边的冲浪健儿，后来当了船员，随船飘到台湾。二十多岁的时候，他的一个朋友请他帮忙拍个电影，从这以后他就干上了电影这行。

老杜自称是一名中国摄影师，因为他是拍中文电影起家的。他也自认为自己是一个中国人，至少骨子里面是。他经常跟别人这样形容自己："我是个有皮肤病的中国人。"

前几个星期，老杜在上海为好莱坞著名的"Merchant Ivory"制片公司当摄影师，这家公司的成名作为《有景观的窗户》一片。而当他被英国《金融时报》的记者采访的时候，他好像充满了对外国人的不满，他和记者的谈话中充满了诸如此类的言语：

"坦白地说，你们需要我们（中国），我们不需要你们。"

“中国人一直明白这个道理，五千年来我们只是在近代跟外国人作了点妥协。”

“为什么西方媒体总是把中国说得如此黑白分明？为什么总是看到阴暗面？”

根据《金融时报》的采访，老杜没完没了地说了半天外国人的坏话，骂他们无知，不懂事。在这个外国记者的眼里，老杜似乎有点毛病。他公开承认他最愿意和年纪非常小的女孩睡觉。他说之所以这么做是因为这些女孩子会问一些很笨的问题，这能够提醒他从头开始想一些问题。文章里还提到，老杜的一个中国朋友告诉记者，她去Merchant Ivory剧组探班的时候，老杜指着身边的外国人使劲说:“老土，老土。”

中国人还是比较喜欢“中国化”的外国人。每年春节一群老外唱点中文歌曲，演几个中文小品都是收视率不低的节目，逗得大家伙前仰后翻，有点像看马戏团似的。我们特别愿意把这种完全同化的外国人隆重推出，促进中外关系，似乎这才是充分表现大中华的魅力。只是就对外宣传来说，被同化的外国人对我们一点价值都没有。当外国人失去了“本色“而完全把自己当中国人的时候，他老家的人就认为他有点不正常了，他说的话就被打折扣了。

老杜和《金融时报》的采访就是个典型的例子。他的“中国化”并没有感染记者。他们的文章中充满了一种讽刺的语调，似乎老杜已经被中国人洗脑了。这种外国人说了半天中国人的好话似乎没什么用，因为在外国人眼里，他们已经被中国同化了。

因此，被我们同化的外国人已经对我们没什么用了。

肉!!!
大师晚年不能
进食以后的作品
2002.10.22.

这就是我跟你们说过的连自己是怎么死的都不知道的那位…
天堂
肺癌
乳腺癌
肝癌
健康
2003.2.2.

芬兰见

我的老板，就是我们公司的董事长，是个大块头的犹太人，头光得像灯泡一样，也是个疯狂热爱户外运动的人。很多年前，我在内蒙有个牧场，只有一个羊官儿，五六匹马和四百多头羊。到了夏天，就和朋友一起去骑马玩。记得出去一天回来，每个人走路都是趔着腿，屁股被马鞍子磨掉一层皮，睡觉都得趴着。

有一天，我接到这大块头从纽约打来的电话。

"晃，"他说，"你那牧场还在吗？"

"在，"我说，"你要去吗？"

"我要把我现在的女朋友带去，"他说，"如果她能够在那里跟我一起当两周游牧民，我就跟她订婚。"

"嗷，"我说，"来吧。"

挂了电话，我就给牧场的羊官儿打了个电报："白俄人工两周后到，可放羊，打草，往死了用。"

我已经习惯大块头这种挑媳妇的办法，好像上一个就是被他逼着爬喜马拉雅山，没跟上大块头的步伐，回来就给休了。其他考验还有从昆明骑自行车去河内，高空跳伞，长途跋涉什么的。他的女朋友一个个都是美国名模，这个去内蒙的还上过美国版VOGUE的封面。本来以为不出一周女朋友会打急救电话给我，结果居然两周以后两个人乐呵呵、手拉手回到北京了。女的左手中指上有个草编的戒指，这就算订婚了。

过了一年，大块头给我寄来了用最好的纸印刷的请柬，他们要结婚了，但是结婚之前，两个人要从芬兰坐狗拉雪橇到俄罗斯，算是婚前最后的生存考验。我没去成他们的婚礼，但是看到了他们在芬兰冰天雪地里面假装是爱斯基摩人的录像，发现那边风景独好。

今年夏天我想找个凉快地方住两周，就想起了大块头去过的芬兰。我从北京给他打电话，他已经是两个孩子的爸爸了，电话后面吱哇乱叫的。

“芬兰好玩吗？”我问。

“最浪漫的地方，”他说，然后我就听见他在电话里面吼：“你别吃抹布，爸爸刚才怎么跟你说的！”

“哪好玩?”我问,“我想找个人少的地方待两天。”

“我老婆不在，我得给孩子洗澡，bye.”他已经把电话挂了。

就这样我只好找到北京的芬兰航空公司，他们的老板是个芬兰北京人。如果你不看他的面孔一定以为他是后海哪个胡同里长大的。到今天为止，我看见这种外国人还是非常惊讶。我们实在不是个移民国家，这种人非常特殊。林先生虽然能够当个胡同串子，但是对祖国还是了如指掌的。他说芬兰人生在桑拿里面，也死在桑拿里面，因为只有那里非常温暖。夏天太阳永远不落山，晚上十二点的时候会沾一下山边，然后就又起来了。想看到北极光不是那么容易的，有个摄影记者去了四次才拍到。

林先生是个好人，赞助了《乐》读者一张机票，这个月订阅的人都能有机会抽奖。本来我想吞了这张机票，最后还是没敢。算了，还是买张票，说不定跟哪个得奖的人一起坐狗拉雪橇去。

脑风暴

昨天从Vail坐着洛基山的小巴到Aspen，参加《财富杂志》的“脑风暴”会议。

这里开会非常认真。我的第一个讨论会是早上七点半开始，题目是“中国和互联网”。主持人是《财富》远东编辑，第一个发言的是Morgan Stanley的Mary Meeker女士。她的分析比咖啡因还灵，我立刻竖耳聆听。她说中国现在有几个第一：30岁以下的互联网用户我们是世界第一多；30岁以下的手机用户我们也是第一多。今年我们的互联网和手机用户人数就会超过美国，也是世界第一了。然而，中国整个电讯工业的市场价值是日本的一半，也就是说我们的市场虽然大，但是资本认为我们没日本市场值钱。这是为什么？有三个原因：一是我们整个金融支付系统不转；二是我们政府对内容的管理没有法律化、公开化；三是我们自己在互联网上面的创作能力还没有充分体现出来，大部分网站的功能，我们还是在效仿国外的。

第二个发言的是一位在中国投资互联网赚了大钱的年轻人，叫

Steve Jurvetson，好像他是百度的原始投资者之一。他说中国人挺厉害的，他投了一个公司从几个人，一年之内就发展成四百人，而他们作为风险投资者，也不可能按着个儿地分析这些公司的表现，所以干脆就以多投来取代准确率上面的不足。也就是说，如果你有钱，可以到中国来撞大运，只要和几个大的就行——这战略不错，跟我妈打麻将的战略一样，多打总能和一次大的，和了就能把其他输掉的都拿回来。

第三个发言的是我十几年前的邻居和朋友Rebecca Mckennin，她中文很好，我单身的时候她有个中国男朋友，我天天晚上听见他们在楼上狂欢，气得要死。后来Rebecca去了CNN当记者，上电视了。但是现在她辞了高曝光、高收入的活儿，准备到香港大学当老师，教多媒体，这点我很佩服，是很有理想的人。但是，有理想的老外对中国的印象永远不如有目的的老外对中国印象好，而大部分美国媒体从业者，特别是著名新闻媒体的记者都属于有理想的，这也就导致外国媒体对中国的报道一边倒，Rebecca也不例外。我特别怕咱们这儿说什么"净化网络"之类的事情。这事如果是必要的，也不能用这种愚蠢的说法去办，一是特别容易让外国媒体误解，又给人家一个小题大做的把柄，真是何苦；二是这种宏观的、理论的、概念的东西很难执行，有个公开的法律性的东西多好，大家一看就知道。骂韩寒敢情犯法，那就算了，别惹事儿了。Rebecca发言时间很长，我估计她说的话都属于要被净化的内容，但是由于我胆小，又比较稀罕我这博客，所以我就不重复了。但是我还是希望把这"净化"量化一下，这样我也不用这么遮掩，就这一段破字，让我足足耗了两个钟头才写完——就这一段！

然后是我和 Justin 唐发言。我打情骂俏地说了半天外国媒体对中国不公平，特别是最近google和Yahoo的事情弄得这么沸沸扬扬，而全世界没有一个国家对内容不采取任何控制。法国不允许法西斯网站；关于未成年卖淫几乎全球禁止。中国有自己的规定，可惜没有法律化，成了个骂中国的把柄了。Justin说了一点特别有道理的话，他说希望大家以中国互联网用户的角度去判断和报道中国互联网的发展，外国的政治观点在中国并不是广大网民关注的。这点很多老外马上挺服的，我就想，这种人怎么不拉到新闻办和宣传部去做点贡献？多有效益。

最后发言的是一位女 CEO，她基本上同意我和 Justin 的意见。她做了个很有意思的对比，她说在接触过中美两国领导人之后，她非常肯定中国的领导人对如何利用互联网的考虑要比美国领导人深入得多。我想她是非常有资格说这个话的，因为她是布什总统科技委员会的顾问，CISCO 的董事。

好啦，就汇报到这里，天啊，写这种东西比写男女关系累多了。

魔鬼是有道理的

上周去美国，到处都是好莱坞新片《魔鬼穿Prada》的宣传。这魔鬼是个时装杂志总编，对她的助手来说，她就是个魔鬼，因为她要求助手24小时开机恭候，随叫随到。在外面下着倾盆大雨的时候，她要助手给她搞一架专机送她回家，翘着二郎腿坐在沙发上说，就这么几个雨点有什么了不起的？！

我一直提心吊胆地等着这个电影出来，因为我也是办时装杂志的，而且在我自己管编辑部的时候曾经留下过恶名，就是骂人骂得狠，估计从我们这儿走的编辑叫我“魔鬼”已经是很文雅的称号了。这种电影一上市，我怕大家马上又对号入座了。

可是看了所有的电影评论以后，我发现这电影可能是替魔鬼说话的。首先，所有魔鬼都应该非常骄傲，因为电影里面是Meryl Streep(斯特里普)扮演魔鬼这个角色。评论里面都说，本来这角色就是一个母狗式人物，可是斯特里普演就演出深度来了。大家发现这个魔鬼并不像骂她的那些小编辑那么肤浅，只知道图便宜，骗点昂贵的衣服回家穿穿，而这个魔鬼是把服装当作一本学问去钻研的。评论说，如果原著里面是把主编说成魔鬼，电影是给魔鬼翻案的。

说起时装杂志我想起来的第一件事情就是拍摄时装大片，这是所有时装编辑最喜欢干的活。我曾经暴跳如雷地骂人也都是因为这些大片。这些小屁孩子，借了一堆高级衣服，脑子里只有一个非常模糊的观念，比如拍一组“很未来的”“很性感的”或者“有点欧洲古典优雅的”，再找几个合得来的摄影、化妆、模特就出发了。记得有一年，Ferragamo的衣服有点军队色彩，我看见片子差点倒立：几个模特穿这衣服，拿着玩具冲锋枪，在一个迪斯尼乐园背景前面和小孩玩打仗。我冲着编辑喊：你肠子不拐弯无所谓，怎么脑子也不拐弯？看见军队风格就非得打仗？结果，编辑第二天就把我炒鱿鱼了。

所以，当魔鬼容易吗？穿着Prada，这活儿也不好练那。

我倒是挺想号召大家没有目的地深深地投入一回。

要知道，生活的乐趣都在过程里面

而目的只是在长长的过程之后一秒钟的快感。

——《无目的美好生活》

中国
实验室
王原
2002.6.4

表扬张大川

张大川同志是奥地利优秀的都市玉男，才三十多岁，为了帮助中国的享乐运动，自己派遣自己，不远万里，来到中国。零二年春上到北京，零五年加入了我们公司，担任全公司的创意总监，还在《乐》上写专栏，还帮着拉广告，还做特殊项目，最近还和其他几个国际都市玉男在 798 开了 Cafe Epause。今天终于开了博，累得半死，真怕他以身殉职。

一个外国人，虽然有很重的利己的动机，但把中国人民的享乐事业当作他自己的事业，这是什么精神？这是国际主义的精神，这是纯粹的享乐主义的精神，每一个中国享乐主义者都要学习这种精神。都市玉男也是一场新的革命运动，是享乐主义的新路线，真正的都市玉男都认为：发达国家的都市玉男要拥护发展中国家都市玉男在有限条件下为享乐所进行的斗争；发展中国家的都市玉男要拥护发达国家的都市玉男在强大的男子汉政治压力下的解放斗争，这样，世界享乐才能胜利。张大川同志是实践了这一条享乐主义的都市玉男的路线。我们中国都市玉男也要实践这一条路线。我们要和一切发达国家的都市玉男联合起来，要和日本的、英国的、美国的、德国的、意大利的以及一切其他国家的都市玉男联合起来，才能打倒禁欲主义，解放我们的民族和人民，解放世界的民族和人民。这就是我们的国际享乐主义，这就是我们用以反对狭隘民族享乐主义的国际享乐主义。

张大川同志既利己也利人的精神，表现在他对工作的极端的负责任，对同志对人民的极端的热忱。每个都市玉男都要学习他。不少的人对工作不负责任，不会自娱自乐，把工作弄得很累。这些人一事当前，先替自己打算，然后再替别人打算。穿上两件名牌就觉得了不起，喜欢自吹，生怕人家不知道。对同志对人民不是满腔热忱，而是冷冷清清，漠不关心，麻木不仁。这种人其实不是都市玉男，至少不能算一个纯粹的都市玉男。从时尚前线回来的人说到张大川，没有一个不佩服，没有一个不为他的精神所感动。在各大派对，凡亲身接触过张大川、亲眼看过张大川吃喝玩乐的，无不为之感动。每一个都市玉男，一定要学习张大川同志的这种真正吃喝玩乐主义者的精神。

张大川同志是个玩家，他以玩为职业，对玩术精益求精；在整个吃喝玩乐系统中，他的玩术是很高明的。这对于一班见异思迁的人，对于一班鄙薄玩术工作以为不足道、以为无出路的人，也是一个极好的教训。

我和张大川同志天天见面，从来不写信。可是因为忙，一起玩的时间还是太少。对于他开博，我是很高兴的。现在大家知道他，可以常去他博上面玩玩。我们大家要学习他毫无禁欲之心的精神。从这点出发，就可以变为大有乐子的人。一个人能力有大小，但只要有这点精神，就是一个时尚的人，一个纯粹的人，一个有道德的人，一个脱离了低级乏味的人，一个有益于人民的人。

新人,新词,新社会

最近,我的英文有长进,学了不少新词汇,拿两个出来跟大家交流一下。

bling bling

前几天介绍一个搞投资的老外哥儿们去见一个正在融资的IT类中国姐儿们,两人见面之后,哥儿们回来跟我说:"这是个vanity project,她太bling bling,你想什么呐?"我别的没听明白,但是这老兄在埋怨我这一点听明白了。好几年没去美国了,突然觉得不会说英文了,抓住机会学习一下。

"什么叫bling bling啊?"我问,这词的声音很动听。

"就是一个把自己银行账号戴在胸前的人。"他回答道。

"那什么叫vanity project?"我又问。

"光挣脸,不挣钱的项目。"他说,"像什么肯尼迪的儿子做本叫《乔治》的杂志,就是烧钱,没别的。"他突然意识到我也是个办杂志的,便嘱咐道："以后你要融资，别说是办杂志的，说做媒体的。"

"明白了，"我说，心里嘀咕着"我是做媒体的，不是做杂志的，我是做媒体的，不是做杂志的。"

回家后我又在网上找了一下，发现bling bling是从rap歌手的打扮延伸出来的。这些歌手都喜欢珠光宝气，有的解释说，bling，是形容光反射在大克拉钻石上bling bling地闪光；也有说法是大金链条在一起碰撞时，发出bling bling的声音；总而言之，跟咱们这儿一些从头到脚都是名牌的人有一拼。

you are my bitch

我的一个好朋友是好莱坞一个主流制片公司驻北京的首席代表，她简直是一本带腿的《好莱坞谁是谁》字典，是好莱坞在中国的大忽悠。有一天说起一个制片，她非常随意地跟我说："你要是见到他，跟他说，你是我的bitch。"直接翻译成中文是"你是我的母狗。"我当然能猜到这是说我们俩是好姐儿们的意思，但是什么时候母狗又有了这层意思对我还是新鲜事情。十几年前，我在美国的时候，bitch一般用来形容女老板，比如：我，一大bitch。这个词用法和中文里面的母夜叉、母老虎比较接近。我的朋友告诉我，近几年的街头文化给了bitch新的定义，刚开始，bitch是用来贬低一个男人的男性意识，比如可以用这个词来骂黑手党老大和名人身边的马弁。后来就变成了一种哥儿们的相称，但是必须非常熟悉才能这样开玩笑，不然一定板砖伺候。

这些词汇都太好玩了，我最近一直挂在嘴边，看见说英文的就练几句。

"Hey,bitch,what's up?"

"Yo,look at that bling bling dog!"

说的时候难免混杂一些中文中的同类词，比如“你丫的”。不巧，有一次被我妈妈无意中听到，她问我，这到底是什么一种称呼，怎么你们互相都这么叫？我赶紧打马虎眼说，特别、特别好的好朋友都可以这么叫。谁想到第二天我妈去单位开会，看见一个跟她很要好的老上级，张口就说：“X 部长，听说你丫出国了？”

吓得所有人都说，你可真不能再跟你女儿混了。

学来就用是在我们家的光荣传统，不学好大概还是我这代开始的，新人新社会，总得跟上辈子有点不一样。

时尚到底是什么？

我听见“时尚”这两个字就头大。这个词包罗万象，英文里的fashionable，trendy，stylish，a la mode，in vogue，hip，chic都被翻译为“时尚”。我们的语言的层次感被“时尚”这块大抹布给擦平了，反倒是英文给了“时尚”更加细腻的解释。上面那些词大概意思一样，但用起来还是不一样。

fashionable，这个词源于fashion，时装的意思，就是说一个人非常能够“跟趟”，每个季都愿意把自己改头换面。trendy，这个词似乎比fashionable更前卫一些，前者有潮流先驱者的含义，也就是说任何trendy的东西没有fashionable那样普及。一个trendy的人可以是个“弄潮儿”，而一个fashionable的人是个跟着潮流走的人。stylish这个词严格地说是很有风格的意思。如果说一个人非常有风格并不等于说这个人时尚。其含义甚至和“时髦”相反。风格是持久的，是以不变应万变的生活方式。a la mode实际上是法语，在英语里面和“流行”的用法非常相似，比如我们不会说一个人非常流行，而更多地是说一个东西或者某种做法非常流行。在英文里面，a la mode也更多的借来形容东西、做法、风尚，而不太用来形容人。in vogue是一半英文，一半法文，由于用了个in，其时间感特别强，任何in vogue的东西似乎不会超过一个季节。如果让我翻译hip，那就是实实在在“时髦”的意思。时髦用在年轻人身上似乎很合适，如果说某某是一个六十岁的时髦老太太，似乎这个人又有点超出常规范围、不传统的感觉。chic的发音是“希克”，不是“切客”。如果发音成为后者便是小妞的意思，而且是英文里面男人把女人当作猎物时对女人的称呼，含义大大不同。有一个时尚刊物叫《CHIC》，几乎所有人都读“切克”，如果一个女编辑能够号称是“切克”杂志，和标榜自己是“花花公子”杂志也差不多。chic要比hip更有派头，可以登大雅之堂，而hip更是街头巷尾的时髦。

说了这么多冠冕堂皇的话以后，我该说点实话了。实际上“时尚”对我来讲，就是“竞争对手”的意思。《时尚》是时尚类期刊的大哥大。比我经营的小刊物要大好多好多。有高人曾经指点我和《时尚》挑战一下，这样是推广自己的好办法。《时尚》的两个老板既聪明又大度，我们经常在好多公共场合碰到，在我写了篇文章骂“COSMO”之后碰到《时尚》老板刘江，他笑嘻嘻地说：“怎么着，洪晃，咱不是挺哥儿们的嘛。”

我心里有鬼，支支吾吾说了些对不起的客套话。

“我们还讨论了一下，”刘江笑眯眯地说，“决定不接你的招。”

我极其佩服他们不仅一眼看穿我的把戏，并且还采取了“好男不跟女斗”的态度，都是上上的对策，厉害！难怪他们是行业的老大。

今天这篇文章似乎又有点要挑战点什么的概念，特此说一声，我的确有点心怀鬼胎，贼心不死，俩位老大干脆帮一把，接招吧。

Armani 男人

我做了一圈调查，已经可以非常肯定地告诉大家，不管是异性恋女人，还是同性恋男人，都最喜欢穿 Armani 西装的男人。异性恋的女人说，穿 Armani 西装的男人给人感觉比较靠得住，但是又不是太保守。同性恋男人给的理由和异性恋女人几乎一样，只是加了一个对细节的观察，他们说穿 Armani 西装的人都是好身材的男人。我本来也想调查同性恋女人，问了一对，高兴地说，她们是 Armani 粉丝，去Party肯定一人一身，但是从来没注意过这西装穿在男人身上好看不好看，反正穿在女人身上挺帅的，这答复好像有点跑题了。

1983年，Armani 同志登上了美国《时代》杂志的封面。这个杂志特别把自己的封面当回事儿，在这之前很少把设计师、艺术家放在封面上，一般都是些有权力发动战争、扔原子弹的人在封面上晃悠。Armani 是第一个上封面的设计师。

Armani 是简约主义设计师，最喜欢半调子的颜色，特别是浅咖啡(beige)，以至于有人曾经问过他："你说浅咖啡色对你来说是几个颜色？”Armani在美国火起来要感谢好莱坞，理查德·基尔在American Gigolo在电影里穿了一身又一身的Armani。从那以后，这个牌子就成了“宇宙之主”的制服。宇宙之主（master of universe）是当时一群乳嘎巴没洗干净的华尔街小能人的自称，他们一年几百万，穿着Armani，开着跑车，吸着白面。有本小说叫《American Psycho》(美国神经病)，就是讲这群人当时的生活。前Armani时代的华尔街穿的都是老牌西装，中等靠上的有个牌子叫Brooks brothers，像制服一样，争分夺秒的资本主义战士一人一套。Armani的到来改变了西装语言，大家还是为资本主义而奋斗，但不是一般战士，是切·格瓦拉型的战士，都变成有人格魅力的赚钱机器了。

我个人更喜欢后Armani时期的男人西服，比如Comme de Garcon和Paul Smith。但是我的嗜好根本没有普遍性，问了一圈，大家都非常坦率地说这太时髦，让男人显得不够稳重。由此可以得出结论，男人要想得到性伙伴，首先要在表面上做出稳重的模样。这很有意思，和女人正好相反，给女人设计的所谓性感衣服，几乎是疯狂地在否认任何稳重的感觉。

据说男人是可以为Armani西装发疯的。有个朋友告诉我，她认识一个艺术家为了得到几套Armani西装居然当了一回三陪，伴着一个香港阔太太在澳门赌了一晚上，还让她摸了他的小手和其他一些部位。这种不稳重的表现，当然穿上稳重的西装就全部被掩盖住了。

图书在版编目（CIP）数据

无目的美好生活 / 洪晃著. 一北京：中国友谊出版公司，
2006.10
ISBN 7-5057-2266-2

Ⅰ.无… Ⅱ.洪… Ⅲ.散文－作品集－中国－当代 Ⅳ. I267

中国版本图书馆 CIP 数据核字（2006）第 120667 号

书　名	**无目的美好生活**
作　者	洪　晃
漫　画	王　原
出　版	中国友谊出版公司
发　行	中国友谊出版公司
经　销	新华书店
印　刷	三河市紫恒印刷有限公司
规　格	640 × 960 毫米　16 开本 13 印张　90 千字　彩插 3 印张
版　次	2007 年 1 月第一版
印　次	2007 年 1 月北京第一次印刷
书　号	ISBN 7-5057-2266-2/I · 613
定　价	25.00 元
地　址	北京市朝阳区西坝河南里 17 号楼
邮　编	100028　**电话** (010)64668676